U0135188

臺中學
2017
The Study of Taichung

書店滄桑

中央書局的興衰與風華

方秋停 著

王志誠 主編

臺中市政府文化局　遠景
VISTA PUBLISHING

書店滄桑

中央書局的興衰與風華

Contents

Contents

Contents

行動導讀

書碼 201716

複合媒體影音書

「行動導讀」提供讀者一份新的閱讀體驗，傳統書籍也可以如此方便
地做到：既有深度、兼具廣度。其特色既保持書本平面閱讀時的舒適
感與質感，同步又能夠提供多面性的具象影音，使書的內容更充實、
更能散播美感與價值。

行動導讀　這樣做——

1. 手機下載「行動導讀」APP（iOS、Android 適用）或瀏覽網站
   （http://www.dowdu.tw/）。
2. 輸入「書碼」：QR Code 或 201716。
3. 查看「易導碼」（例如「(25)」），即可體驗閱讀中所延伸的豐
   富多媒體與影音內容。

市長序

儲備臺中的人文精神

林佳龍

近年來，作為宜居城市的臺中市，吸引了各地的民眾陸續移入，人口大幅成長，躍居全臺第二大城，同時民眾對生活品質的訴求相對提高，人文精神也隨之抬頭。政府應如何規劃城市願景，以符合市民期待，這一步極為重要。

現今的臺中，能受到越來越多人的認同，過去打下的基礎功不可沒。許多在地的民間團體在此基礎上，活絡熱切地在臺中各地舉辦藝文活動，布置閱讀、品茗、及享用文創餐飲的舒適生活空間，或透過舉辦讀書會、講座等不同方式推展這座文化之城，使它的生活面貌、運轉軌跡可以清楚地被自身與外界所認識。而市府的文化團隊也不落於人後，以出版的力量凝聚這些人文精神，用以滿足這座對自身文化越來越有自覺的城市。

為了與過去眾多學術性的調查研究報告做區別，臺中市政府文化局特別策畫出「臺中學」叢書，以故事傾訴當地，以圖片還原環境，讓大眾透過這套書去發掘更多臺中的美好，進而典藏臺中的歷史、文化與生活。去年付梓的臺中學專書裡，分別暢談「臺中公園的今昔」、「領航者林獻堂」、「葫蘆墩圳

探源」、「清水人文地誌學」、「世界珍奶與臺中茶飲」等五大主題，都獲得廣泛的迴響。

今年，我們聘請宋德熹與朱書漢、游博清、方秋停、郭双富與蘇全正、林景淵與曾得標等專家學者，撰寫第二輯的臺中學，推出《驛動軌迹：臺中火車站的古往今來》、《市街之味：臺中第二市場的百年風味》、《書店滄桑：中央書局的興衰與風華》、《劇場演義：演藝娛樂現代化的天外天劇場》、《踢躂膠彩：臺灣膠彩畫之父林之助》，希望大家透過這五部專著看到臺中昔日的風華、現今正在進行的輪廓，與未來城市發展的藍圖，了解這塊土地的身世背景，進一步與臺中產生深厚的情感與歷史文化的連結。

得以在一座人文風氣濃厚的城市中生活，無疑是幸福的。當然，臺中文化重鎮的地位之所以屹立不搖，靠的無非是一種長時間文化的累積，我們現在走的每一步路都是為將來進行儲備，所以我們也會持續出版一系列與臺中學相關的書籍，透過記錄不同階段、不同層面的人事物，增加這座城市的多元文化厚度。

「百年城」的五道歷史光芒

王志城

臺灣遊客偏愛日本京都。因為，那是一座洋溢著人文、藝術、歷史等氣息的棋盤式城市。然而如今卻極少人知道，昔日的臺中市也因為曾以京都為城市規劃的藍本，而被賦予了「小京都」的美稱。我們可以想像一下百年之前的中區地貌——宏偉的臺中火車站、臺中市役所、臺中州廳；許多香火鼎盛的寺廟；寧靜的各類日式傳統住宅；摩登的巴洛克式洋房、現代的市場建築；以及嫵媚柔人的柳川與石橋——那份傳統與現代、繁榮與靜謐並行的優雅，也曾經在臺中如此深刻地駐足過。

生活在「小京都」這座風情萬種的城市，我總想，要怎麼樣讓它的優雅再現，或是更廣為年輕一輩所知；當然，臺中不只有優雅的小京都，還有更多精采繽紛的山海景致與極富臺灣味的城貌，提供了許多足以形塑臺中的關鍵字庫。這些字庫的單詞不應只是單薄的名詞，而是更能引發人們情感共鳴的聲音，於是，「臺中學」系列在 2016 年誕生了。

第一輯「臺中學」付梓後，不僅受到海內外矚目，也獲得國史館臺灣文獻館的出版獎勵，以及文化部中小學生優良課外讀物的推介選書。市府與文化局團隊感謝各界的肯定之餘，今年也再接再厲，繼續編纂「臺中學」第二輯，規劃「臺中火車站」、「臺中第二市場」、「中央書局」、「天外天劇場」、「臺灣膠彩之父林之助」等五大主題，重塑「小京都」的生活與人文風貌。而第二輯的籌畫與撰寫，很榮幸邀請到中興大學及臺中在地的專家學者們，以他們豐厚的史學素養及在臺中生活多年的實地經驗，為這五個臺中關鍵詞彙刻劃立體細緻的脈絡。

在臺中火車新站開通之際，對舊站的記憶與感情依舊鮮明地存在於每個臺中

人的心中，《驛動軌迹：臺中火車站的古往今來》便是一個精準的彙整與見證；本書由中興大學歷史系教授宋德熹、長期以「寫作中區」為筆名記錄臺中的朱書漢執筆操刀，不捨中卻又帶著期盼的心情，為這座老火車站的曾經與將來留下註腳。第二市場已是「臺中美食」的另類代名詞，而美味根植於整個場域獨特的歷史氛圍；透過《市街之味：臺中第二市場的百年風味》，擅長臺中發展史與文化交流史的游博清讓我們聽到了日語、臺語、國語交雜出的市場語言，更在古色的紅磚樓下聞到了青蔬、鮮魚的氣味，從不因百年過去而變質。

在電視、電腦等 3C 產品還未問世的年代，人們最大的娛樂便是閱讀與看電影，中央書局與天外天劇場因此與許多人的青春歲月遇見相逢。散文家方秋停不但以生動的說故事手法將中央書局在臺中建立文化碉堡的歷程娓娓道來，更訪問了諸多文化界人士，讓中央書局透過他們的記憶逐步復甦；對於即將重獲新生的中央書局而言，《書店滄桑：中央書局的興衰與風華》是一本不可或缺的指南。而天外天劇場或許是第二輯系列中最不容易詮釋的主題，但長期關注此地的蘇全正依舊透過中部首富吳鸞旂傳奇的一生，及其子吳子瑜對劇場的出資、投入，爬梳出天外天劇場的輪廓，成就了《劇場演義：演藝娛樂現代化的天外天劇場》這部作品，本書也幸得「臺中文史寶庫」郭双富的協助，收錄許多精采的圖片文獻。

如同第一輯的規劃，第二輯也選錄一位知名的臺中人物作為全輯亮點，出生在大雅、壯年乃至老年皆活躍於臺中的一代膠彩畫大師林之助便以《踢躂膠彩：臺灣膠彩畫之父林之助》一書登場。這部由林之助弟子曾得標及中興大學教授林景淵執筆的作品，除了清晰地勾勒出大師幽默迷人的風采，更重現他在動亂的大時代中，仍穩健地步向美之天地的堅定理念，是一部精采絕倫的人物觀察寫真。

巡禮了「臺中學」第二輯，我們會發現臺中何以在當年能坐擁「小京都」的封號，而這次的選題除了著重地理、歷史的主軸，也將視野延伸至庶民生活、美術藝文的層面，希望民眾不只能從文史的角度去認識臺中的曾經，更能感受與欣賞它美麗的面貌與內涵。

前　言

重返舊城區，穿進歷史走廊

跟著時光倒轉，步向舊城區的悠悠記憶。映入眼簾一幢灰了舊了的老建物，靜默無語看盡世事滄桑，風雲變幻在它身上遺留歲月行經的痕跡，更含藏時代的迂迴與曲折。曾經意氣風發、滿腔理想與熱血，振興一場場文化運動的它——中央書局，行將捲土重來，蓄勢待發……

2017 年 3 月 13 日天氣晴，臺中舊城區仍有熱鬧與沉寂。從火車站往西行，大肚山位於地勢漸升的遠方。臺灣大道及中山路為縱軸，與自由、三民路交錯成棋盤。繁榮似水隨著人潮流動，市集、百貨，金飾店、鐘錶行……，歷史背景向後拉，淙淙含融著車聲與人影。再往前，市府路轉角那幢老建築即將整修，鄰近民眾紛相探問：「這樓真要翻修了，修好後要做什麼？」

灰舊老屋默默存在，如被歲月洪流沖退岸邊的廢墟，和附近房舍滄桑接連，訴說著無常的世事與人情。依稀記得這裡以前是家便利商店、不——，它曾經賣過安全帽，記憶前後挪

默默矗立街角的老屋，蛻去了歲月曾經加諸在上面的裝飾，回歸原有的風貌。歷經滄桑的中央書局，終於在一番整修後，重新以本來的面貌面世。（羅有隆／攝）

動，市公車走走停停，循著單行道路線左彎右轉，它曾經賣過婚紗……，一張張不同影像被記憶沖洗出來。是啊，這樓曾數易主人，而它沉重的靈魂始終無法開朗，落魄身形看在老臺中人眼裡，總覺得不忍心。

「其實它更早之前是家書局！」

「書局？」

「是啊，是家書局，而且是間很重要的書局！」黃伯夾雜在人群當中，眼盯那圓弧房樓，以沙啞嗓音緩緩說道。

一旁圍觀的路人，有的一臉茫然、有的表示認同，是的，這裡原本是家書店，有人曾經聽說、有人以前來過……，它的

中央書局歇業之後，曾歷經多次身世流轉。圖為改裝為婚紗店的中央書局。（林良哲／提供）

店名就叫「中央書局」。

「中央書局？是政府開的嗎？為什麼叫中央？」

「不是，不是政府開的！」

「那是誰開的？」、「為什麼會關起來？」、「現在又要開了嗎？」……

　　年輕一輩滿是疑問，黃伯陷入長考，一時間「中央書局」像首用來測試年齡的老歌，六年級後的學子，即便聽過，也只存留模糊印象。依稀記得那凌亂、昏暗場景，直覺中央書局是在時代進步、資訊爆漲聲中，隨著舊城區沒落而被遺忘的一家書店；四、五年級生，或更早前的知識分子，則因地域、閱讀興趣，與中央書局有著或深或淺的緣分。或曾佇立層疊書架前，文思智識獲得了啟發；或曾蹲坐清涼的磨石地板，尋著生命疑惑的解答……

「這家書店到底有多重要呢？」

「現在新的書店這麼多，尤其大家又習慣在網路書店銷費，這時候重開一家老書店不是很奇怪嗎？」

　　黃伯清了清喉嚨，正想該如何回答這一堆疑問。這時一對青年男女拿著筆記簿和相機，走到黃伯面前恭敬說道：「老伯伯，我們正要寫一篇和中央書局有關的報告，您可不可以和我

們談一談？」

「報告！」黃伯聽到「報告」便聯想到學術研究，感覺似乎太正式了，本來自若的神情突然有些緊張。

「是啊，中央書局是臺灣文學史上一個很重要的題目，老伯您可不可以把知道的告訴我們？」

「臺灣文學史？」黃伯沉默半晌，然後說：「不只臺灣文學史，中央書局在臺灣近代民族運動史上也有關鍵性地位。你們千萬別以為它只是一般販賣書籍文具的商場，它曾經是日治時期臺灣社會運動的第一現場。」

欣倫聽了很是興奮，連連點頭並翻出寫得密密麻麻的筆記本。指出其中一段：

「是啊！文史學家巫永福的書有寫：當時的中央書局儼然是『臺灣文學運動的中心』、而且還說它簡直是『臺灣文化上的梁山泊』耶！」

「這是真的，像獻堂仙、莊遂性，也就是你們書裡所寫的莊垂勝、張深切、賴和、楊逵……，這些名人都和中央書局有關係！」

欣倫想到那一個個懷抱理想、充滿血性，遭遇挫折仍不屈服的生命皆曾進出這樓，和我們踏踩同樣的街道，情緒不覺更

愈激昂，心中好奇一一冒出：

「古瑞雲在《臺中的風雷》有提到，日治時的中國報刊和一些左翼著作都被列為禁書，聽說這些平常不准看的書，都藏在中央書局的天花板，是真的嗎？」

黃伯嘴角笑了一下，這些傳言確實是有的，二二八事變後，臺中民情沸騰，情勢緊張，許多慷慨激昂的情節都環繞著中央書局發生。當時「輿論調查所」便在中央書局樓上成立，許多緊急會議都在這裡召開。之後「壓不扁的玫瑰」楊逵 (1) 遭遇當局追殺，倉促逃亡時，隨身帶著的便是中央書局的油印機……，一幕幕怵目驚心畫面皆和中央書局有關連。

黃伯越說，欣倫和小凱越亢奮。原來，我們離激烈風發的史實這樣近。靠近中央書局，似可感受那怦然跳動的民族情緒。

工地大門前方桌上陳列著牲果，眾人燃起香炷，虔誠向神靈昭告——這荒廢之地即將重生，再現往昔風采。

中央書局要回來了！

小凱拿起相機，對此歷史場景接連按下好幾張……

中央書局歇業後，二樓曾有舞蹈教室入駐。（林良哲／提供）

挺立洪流中的文化城堡

中央書局是不平凡的書局，熱情砌起知識牆垣，開啟視窗供人望遠；架上擺放著精神食糧，安慰文人心靈的苦悶；既為屈辱靈魂提供庇護、也是新文化普及奮發的崗哨⋯⋯涓涓細流蔚成綠洲，文心志士自動會合，中央書局於是成為眾所擁護的文化城堡。

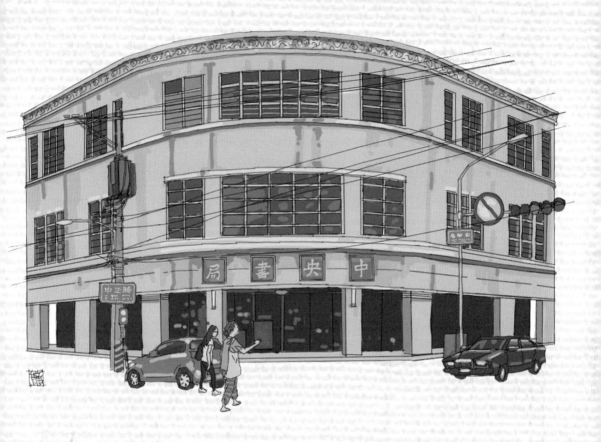

| 逆溯光陰，回到晦暗時代 |

電鑽刺入，粉塵揚起，斑駁牆內露出鬱鬱紅磚，鋼筋混合著土泥，往裡層掘開，破裂磚縫裡似留時代回音。中央書局的整修工程持續，欣倫與小凱經常留連附近，欲想找尋穿進歷史的門路。正猶疑徬徨之際，黃伯剛好經過。

「老伯伯，您還記得我們嗎？」

「記得，記得！」黃伯記得這對好學的年輕人，及他們身上所背的那臺好奇相機。了解他們似想搭乘時光機，重返歷史現場，將與中央書局相關的線索一一串組起來。

黃伯於是帶他們到附近的小店，於騎樓前的位子坐下來。冷熱茶各點上桌，黃伯侃侃細訴了起來……

說起中央書局，那就要回到日治時代──

午後陽光傾斜，眼前街景泛黃，記憶裡的皺褶逐層被掀開。黃伯回想之前父老敘述那段辛酸歲月，通常是這樣開場：「臺灣人的命運一如臺灣地形，崎嶇坎坷，多海蝕風浪。」

小凱將相機擺放桌上，與欣倫一起聚精會神聽著。

「1895 年甲午戰敗，臺灣割讓日本，島上居民從此於異族統治下生活，飽受各種不平等待遇。經濟、政治、社會各方剝削，洗劫文化且以愚民策略，日治時代臺灣人民被迫習日文、

說讀聽寫多以異族語言，漢文傳統及我特有民族性受著空前未有的壓抑。」

史書記載的悲情，經由人口說出，彷可感受那莫名被甩巴掌般的火辣屈辱。為何歷史如此發展？臺灣人何須遭受這般的苦痛！

翻開近代史，心情總是激憤！種性似如血緣，是包含於生命，且為代代相傳的薪火，如何能因一場戰役就被抹滅。於是當權者越壓迫，人民反抗得越強烈。1896年起，一連串的武力

櫟社為日治時期重要的臺灣文人社團之一，曾接待過來臺訪問的梁啟超。圖為櫟社春會紀念合影，前排左三為林獻堂。（郭双富／提供）

念紀會春社櫟
元上古午土和胎

1942 昭17民31

抗爭，從陳秋菊 (2) 攻臺北城，柯鐵、簡義的鐵國山案，到鄭吉成案、北埔事件 (3)……，一次次慘烈衝突造成死傷，臺灣人逐漸意識到，硬碰硬無法達到成效，真的不能再這樣平白犧牲了。

欣倫鬆了口氣，黃伯啜一口茶，讓乾渴的喉嚨稍受滋潤。接著問道：「你們知道霧峰林家有個文人社團叫『櫟社』嗎？」

「知道啊，那是林幼春 (4) 於 1902 年和他叔父林癡仙及賴紹堯創組的，不同於其它酬唱風花雪月的社團，『櫟社 (5) 』總以家國為念，堪稱日治時最有品質及影響力的團體。」

「是啊，1910 年，梁啟超來臺，便由『櫟社』於下厝接待，那時候梁啟超和林獻堂 (6) 雖然語言不通，仍藉由筆談交換意見。會中林獻堂提出『想為臺灣同胞爭自由』的想法，梁啟超 (7) 慎重回覆：『中國在今後三十年，斷無能力協助，希望臺人不要武力抗爭，最好仿效愛爾蘭人，對付英本國的手段，厚結日本中央政府顯要，以牽制臺灣總督府（日本），使其不過分壓迫臺人。』

這次歷史性的會面，超越族群語言隔閡，為林獻堂往後的民族運動提供準則——放棄武力抗爭，轉採非武力的抗日方式。

於是自西來庵事件（又稱「噍吧哖事件」，1915 年）後，臺灣人民轉以和平方式抗爭。其中又以六三法撤廢及臺灣議會設置請願運動 (8)，《臺灣青年》、《臺灣民報》的發行，以及臺灣文化協會（簡稱文協）的文化運動影響最深遠。這三波反

動力量分別從正面攻擊、運用宣傳並掀起對日全面性的文化思想角力戰。」

「說起這段歷史，讓人對日治時期的文人志士好是佩服！」欣倫與小凱相視一眼，心知日本政府對臺的打壓，尤以教育權的不平等影響最深遠。當時臺灣人民受教育只能到師範學校附設的公學校，中學不多且只收容日本來臺的官員子弟。臺灣人小學畢業後只能進入名額極為有限的工、農、商職校，想接受高等教育只能遠到大陸或日本。留日的臺灣學生，脫離臺灣總督府的束縛，漸關心起社會問題及政治活動，在與朝鮮、大陸留學生接觸後，更增加了民族自覺。

所謂的「六三法案」是日本占領臺灣後，自 1896 年 3 月末即撤銷軍政，4 月 1 日起實施「民政」，同時提出「委任（授權）立法」。這條法令在政治上承認臺灣制度特殊化；在法律上，則授權讓臺灣總督府發布與法律具同等效力的「律令」，這樣一來，臺灣總督府便可為所欲為，可說是臺灣一切惡法的由來！這種不合理的法令當然要推翻，但卻一再延長實施期限，造成臺灣民眾莫大的痛苦。

1918 年林獻堂前往日本，於東京和臺灣留學生討論臺灣未來時，感受著各種不同意見，有人主張自治、有人主張回歸祖國，眾說紛云，莫衷一是。當時擔任林獻堂祕書的施家本便大聲疾呼：「六三法是臺灣人的枷鎖，我們應該快快把它撤廢，

要趕緊推行這種運動才好。」

此呼籲指出一條明確前路，當下獲得所有人贊同。於是推派林獻堂為會長，決定為廢除六三法案發會。會議中，蔡培火 (9) 舉起寫著「撤廢法律第 63 號」大字的布旗，和另外的十五、六人衝上講臺，激昂高喊著：「給我們自治權！」、「撤廢法律第 63 號」。

口號喊得激昂慷慨，卻無具體運動方針，抗議便無疾而終。

事實上當時也有人持不同意見，如明治大學畢業的林呈祿便覺得六三法一旦撤廢了，相當於否定臺灣的特殊性，無異肯定「內地延長主義」，那豈不形同自願接受日本的直接統治？於是倡議設置強調臺灣特殊性的「臺灣特別議會」。新民會於是將「六三法撤廢運動」轉成為「臺灣議會設置請願運動」。

第一次請願在 1921 年 1 月 30 日由林獻堂領銜 178 人簽署，以田川大吉郎、江原素六為介紹人，向第 44 屆帝國議會提出，直到 1944 年為止，共經 15 次請願，其間屢受官方阻礙及島內報紙惡意的曲解、侮辱。請願運動進行到第三次（1923 年）時，還因違反《治安警察法》，蔣渭水 (10)、蔡培火被判了四個月徒刑；蔡惠如、林呈祿、石煥長、林幼春、陳逢源被判三個月，新舊曆年皆在獄中度過。他們坐監時間不長，卻因此引起更多人注意，也讓林獻堂再次歸隊，全力支援議會請願活動，甚至領導同志，組織「無力者大會」，對抗御用仕紳的「有力者大

會」。無力者大會召開時，有一千多人參加，林幼春還發表了〈無力者之自白〉。

「真是壯烈！不過，民意的覺醒非一蹴可幾，在前頭衝撞的難免會受傷！當烈士真需勇氣！」欣倫在筆記本上反覆畫了好幾筆，握筆手心抓得緊緊的。

「唉，或許這便是鹿港人所說的『我家不可有，我族不可無』的角色吧！」小凱摸摸相機，鏡頭裡隱約閃動著真相精靈。

「議會請願活動所以能號召民眾出來，理念的宣達與會集，需要許多輔助條件。當時一方面受著殖民強權打壓，且受五四新思潮的激勵，文人志士群情激昂。1919 年，中國發生五四運動，『櫟社』同時成立『臺灣文社』，興辦《臺灣文藝叢誌》，除了鼓勵詩作，還翻譯外國歷史，甚至小說，以跟上新文學運動步伐。」

「霧峰林家 (11) 在臺灣民族運動史上，一直扮演關鍵性角色！」

「對啊，如線頭串起所有人事，前因後事，皆有脈絡。」

「其實林家他們大可以安適過日，不必涉入這些。」

「這就是人格與情操的差異啊！林獻堂的地位那樣崇高，連日本人還要對他禮讓三分。即便有許多機會和日本人接觸，也都是盡力為臺灣人的利益著想。」黃伯眼中流露出敬佩。接著又說：「林幼春也是，他才情過人，身為傳統詩人卻大力挺

助新文學的推動。梁啟超當年未到臺灣前就知道他，還特別寫了篇〈贈臺灣逸民林獻堂兼簡其從子幼春〉的文章。『櫟社』在 1922 年發行了《臺灣青年》，為文化運動提供助力，內容含帶不少民族主義色彩，且提出許多政治訴求，4 月改名《臺灣》。1923 年創辦《臺灣民報》，正式成為文協會報。

值得注意的是，這些刊物初始多在外地創組。《臺灣民報》本在東京發行，1927 年才改在臺北，之後與《臺灣大眾時報》於 1930 年合併成《臺灣新民報》，改由林獻堂任社長，林幼春主持漢詩界，甚至把已故抗日詩人丘逢甲 (12) 的詩放進來。1941 年改為《興南新聞》；1944 年以後，與其它報奉命統合為《臺灣新報》。」

「原來這些刊物的淵源如此，如河流集匯，新流形成，前支消退，各自完成了階段性任務！」

「組織和刊物為民族、社會運動的兩大要件。社運巨輪滾動起來，風起雲湧，飛沙走石，往往造成始料未及的發展。」黃伯撫觸嘴邊那一根根泛白的髭鬚，目光瞭望向斜對面的中央書局，那被包覆著的樓房似如山丘，即便荒蕪，仍具重要的視野與高度。

「你們知道臺中為什麼被稱作『文化城』嗎？」

欣倫與小凱面面相覷——「可能因為……臺中很有文化吧？」心中似有許多答案，卻無法肯定，也說不出個所以然。

黃伯笑了一下，接著說道：「這跟『臺灣文化協會 (13)』的成立，及它許多活動都在臺中舉辦是有關連的。當然有種說法是跟中央書局有關係！」

　　欣倫和小凱瞪大了眼睛，兩人同時轉頭看向整修中的中央書局。

　　「你們都知道，文協是蔣渭水在臺北醫專同學的鼓勵下，在 1921 年 10 月成立的社會運動團體。源於他在臺北大安醫院替民眾看病，深切感受著臺灣人所患的病是一種『知識的營養不良症』，認為要醫治這種病症，最好的辦法便是針對人民所欠缺的文化進行補給，而最好的處方便是興辦文化活動。文協便是專門推廣文化活動的機構。

　　從創設到 1927 年分裂前，文協多面向舉辦新文化啟蒙運動，除了發行《臺灣民報》，並於全臺廣設 13 個讀報社；推動白話文，促成臺灣新文學運動澎湃發展。而在社會風氣開通上，反對萎靡的歌仔戲，提倡新劇（又稱文化劇），組『美臺團』電影隊；還成立了本土資本的銀行（大東信託株式會社），用以抵制日本政府經濟的壟斷與壓迫；更重要的是連續、廣泛地舉辦各式演講會，直接宣導、教育民眾。

　　問題越談越多，人民反應熱烈，社會參與及求知慾望空前高漲。而當時中文書購買不易，人民訊息取得及流通管道並不順暢，於是構想設置書局，從上海進書，提供雜誌報紙，以方

株式會社中央書局職員記念攝影
昭和十六年元旦

為了啟迪臺灣民智，有志之士致力籌備中央書局的成立。1941年元旦，中央書局職員於書店前合影。（莊永弘／提供）

便民眾充實知識、掌握時事。這時便需要——」說到這裡，黃伯已口乾舌燥。

「成立書局！」欣倫、小凱同聲應道。

「是的，從民族運動到自由以及民權的爭取，文藝思潮乃至風俗習慣的蛻變，都需要提高人民的知識水準。」

風暴自四方襲擊，小樹若無強健根基，如何挺立茁長？

陽光調轉傾斜角度，方才打亮的街景這時漸地轉暗，光亮移往另一頭。

小凱拿起相機，對著附近新興或仍歇業的店家按下幾張，流光似水不停沖洗，眼前場景終將被歲月裝幀成一幕幕歷史畫面。

市公車載著廣告來回奔跑，機車騎士戴著安全帽行至前頭又轉繞回來，留聲機沙沙轉動起來，轟轟引擎聲漸轉成人力車，佇停騎樓前的行人活動起來。

藉由黃伯的敘述，欣倫與小凱一次次走進日治時代。

歷史往下書寫，思維、眼界則須放遠，並自前人智慧汲取養分。

文協為臺灣人打開希望窗門，讓人於昏暗中見著透光縫隙，而啟迪民心，提高民眾的文化素質，需要有家好的書局。

| 日治時期的漢文書局 |

「為什麼要特別開設一家書局？難道日治時代沒有像樣的書局嗎？」

黃伯看出欣倫、小凱心存疑惑，處在資訊流通如此便捷的現今，實在很難想像日治初期，臺灣連一家具規模的書店也沒有，頂多只有販賣紙張及帳本的文具店。直到大正年間（1912年～ 1925 年），才有日本人經營的書店陸續成立，像新高堂書店、文明堂書店、三省堂書店。當時有規模的書店往往兼營出版業務，而不論出版或販售都以日文書為主，大部分的書籍來源是日本進口，中文圖書的出版相當稀罕，臺灣人經營的漢

文書店更是少見。

說讀聽寫都不能用母語，只能透過總督府的意旨，吸收殖民政府准許的訊息。

「這簡直是暴力嘛！」小凱持握相機的手心冒出青筋，是可忍孰不可忍！

人情受到壓迫需尋宣洩管道，時局緊繃至極勢必爆裂。浪高衝擊堤岸、溫度達到燃點，必將燒起熊熊火焰。

1919 年後，受到中國新文化運動的啟發，臺灣知識分子對五四運動後的白話文書籍渴求殷切，新式漢文書局於是紛紛設立，成為漢文及新文化傳播的重要媒介。

1926 年 6 月，蔣渭水於臺北太平町三丁目大安醫院邊開設文化書局，並於《臺灣民報》刊登廣告，宣揚成立宗旨：

全島同胞諸君公鑒：同人為應時勢之要求，創設本局，漢文則專以介紹中國名著，兼普及平民教育；和文（日文）則專辦勞動問題、農民問題諸書，以資同胞之需……俾本局得盡新文化介紹機關之使命，則本局幸甚，臺灣幸甚！

文化書局主要販賣中文書、傳播國父思想，及祖國新文化運動與國民革命消息。空間雖然不大，卻在日人統治下背起文化傳遞任務，深具勇氣及使命感。

之後陸續有臺灣人為了各自的理念開辦書局——臺北有連橫為宣揚漢學興辦的「雅堂書店」、彭木為廣開文化視野設了「廣文堂書局」、黃春成創立「三春書局」；彰化有楊克培及謝雪紅 (16) 為推廣科學知識設立的「國際書店」；也有因應市場需要，中日文並陳，如嘉義的「蘭記書店」、臺中的「瑞成書局」；或者兼售漢文圖書如新竹的「竹林書局」、豐原的「彬彬書局」、臺南的「崇文堂」、高雄的「振文書局」、屏東的「黎明書局」等。

漢文書局的成立，象徵臺灣人對於文化、知識的注重，極力捍衛知的權利。

如冰封土地裂開縫隙，一根根新苗長了出來，欣倫與小凱感覺興奮，黃伯便又提醒：「事情可沒那樣簡單！文人因理想創辦書局，資金籌募困難，並須面臨日人書店的夾擊，經營本極不易。而以傳遞本國文化，凝聚認同、啟迪民智為目的的模式，自然會遭受統治者嚴厲的阻撓。」

日本政府在圖書檢查及漢文書取締早不遺餘力，海關對由中國輸入臺灣的書報嚴格干涉。臺灣人經營的漢文書局，經常面臨書被政府查禁的窘境。

立場對立，漢文書局和日本政府若不能保持和諧關係，麻煩就會接踵而來；加上總督府新頒的「臺灣教育令」一再縮減漢文及臺語教學；以及強行推行「國語」的政策，造成民眾使

用日文的比例漸高，間接打擊漢文書店的生存。

　　大環境惡劣，推廣漢學文化缺少商業利益，理想禁不起現實嚴酷的考驗，漢文書局便一家家歇業。雅堂書店關門、三春書局於 1930 年 10 月末由文化書局收購。文化書局於蔣渭水逝世 (14)（1931 年 8 月）後，在經濟、政治等多重壓迫下也走進歷史。

　　雪地荒漠上的苗栽一棵棵癱軟、枯竭，只在昏暗時空中留下蒼涼印記。

　　說到這裡，驀地感覺四圍一片闃黑，殖民地悲情於街坊、騎樓間繞轉……

　　欣倫與小凱沉默不語。黃伯記得之前每回聽叔公談起這段往事，心情總無比沉重。

　　幸虧亂世總有志士懷抱理想。黃伯請服務生再加熱茶，杯內深褐色茶葉款款張開，輕啜一口，溫潤和緩喉嚨的乾渴。

　　中央書局跟前的街燈亮起，街角樓房如蟄伏之獸，於夜氛中呼吸起來。

｜ 中央書局的成立 ｜

　　小凱左右繞轉手上鏡頭，匿藏裡頭的靈魂閃出亮光，誓為歷史作見證。

　　話題仍要回到文協成立後，各種文化活動積極展開，蔣渭

水、蔡培火及莊垂勝分頭於全臺傳播新知，群眾熱情被點燃。莊垂勝提出的文化實現藍圖，更對當時的文化圈造成深遠影響。

「莊垂勝！」

「是啊，民初臺灣仕紳文人固然以林獻堂為主，之後的人脈關連，莊垂勝確實扮演著關鍵角色。沒有他的話，臺灣近代史勢將改寫，許多文人的生平也將有不同發展。」

欣倫拿出圖書館借書，翻開莊垂勝那頁，小凱拿相機拍下他清雅和善的神態。

「文協為推動文化運動成立『中央俱樂部』，中央書局只是其中一個項目，俱樂部的構想便來自於莊垂勝。」

「原來如此，而莊垂勝為何會突發奇想呢？」

「莊垂勝出身鹿港書香世家，1921年春得霧峰林家資助，入東京明治大學政治經濟科就讀。」

「哇，霧峰林家還會資助人出國留學喔？」

「是啊，文人或好學子弟有需求，林家通常願意協助。

莊垂勝赴日適逢戰後日本新思想激越蓬勃時期，他於1922年末至隔年9月1日東京大地震止，寄宿於神田的中國基督教青年會館。有機會接觸中、韓留學生，更得閱讀五四後的中文新書，對中國國語文統一運動大為嚮往，並能說一口標準國語。1924年春天畢業，受韓國友人邀約至韓國遊歷，轉赴北京、上海等處考察，見著祖國出版業發達、書刊汗牛充棟盛況，

莊垂勝扮演著臺灣近代
史的關鍵角色，影響許
多文人，也是促成中央
書局成立的功臣之一。
莊垂勝攝於霧峰萬斗六
屋前。（郭双富／提供）

內心大受衝擊。

　　返臺後投入民族運動，追隨林獻堂至各地演講，從事思想、文化啟蒙運動，深切體悟文化必須實踐才能開花結果。而要提升生活層次，須靠人民相互進行社交訓練，新的智識學問普及，才能啟發高尚的生活品味。莊垂勝認為當務之急須先打造富有文化氣氛的環境，因對英國俱樂部及法國的沙龍文化極為嚮往，於是有創設『俱樂部』的想法。

　　因緣巧合，人事時地物相會集，造就出特定結果。莊垂勝憑著熱情以及好人緣，於 1925 年號召中部地區的文協成員，在張滄哲及張煥珪兩兄弟大力支持下，成立了『株式會社中央俱樂部』。」

　　「既然『俱樂部』是文協用來推動文化活動的組織，那何不設在臺北或府城？為何要設在臺中呢？臺中有那樣重要嗎？」欣倫提出疑問。

　　黃伯笑了一下，「這你們年輕人有所不知，俱樂部之所以在臺中成立，除了發起人都是臺中州人外，也因當時臺中州 (15) 本即臺灣民族、文化運動重心。日治時期重要的文化運動人如林幼春、林獻堂、楊肇嘉、陳炘、賴和、張深切等都是臺中州人。文協的工作成果，不論演講或會議召開，也以臺中的成果最好。另外，臺中是一新興都市，柳川、綠川及梅川作為現代排水溝，不論地理位置及城市規劃，皆有不可取代的優勢。」

欣倫與小凱恍然大悟，可是——「俱樂部明明是私人創辦，又非官方機構，為何取名『中央』呢？」

「這問題很好，也很少人知道答案。據說這『中央』是取『心向中央』的意思，且『中央』指的是漢文的文化傳統。這說明俱樂部的創立目的，主要是為保存、延續祖國文化。」

「所以當時的文人仕紳對漢文化是充滿孺慕之情的！」

「唉，殖民地人民的辛酸在此，中央俱樂部可說是集眾人之志，一同打造出的窗口，用來彌補心中長期的缺憾和渴羨。」

「我懂，這就好比聽人說外頭風光正好，自己卻被囚禁在陰暗的土牢。無論如何也想要掙脫，至少要找著孔洞一窺究竟。」欣倫試著比方。

凝重氛圍讓人更渴望自由，強悍生命力總會想辦法找到出口，中央俱樂部是一理想視窗，更是眾人相互慰藉、激勵的據點。

黃伯陷入沉思，其實當初俱樂部成立既有遠大理想，又有多元計畫。按照初始構想，中央俱樂部先辦書局供應圖書，出售日文書，並為不通日文或慣讀中文書的讀者介紹中文書報；且要設置講堂、娛樂室、談話室，舉辦各種講習、演講、音樂、電影等；另外還兼賣文具、運動器具及各種學用品。後續更計畫辦旅社、食堂，提供精潔淨雅食宿，供應文士棲息會談。

「構想滿不錯的！一定需要不少資金。這樣一大筆資金要籌募多久呢？」

【右頁圖】中央俱樂部於 1927 年發行的 20 元、100 元股票。（林立生／捐贈，廖振富／收藏）

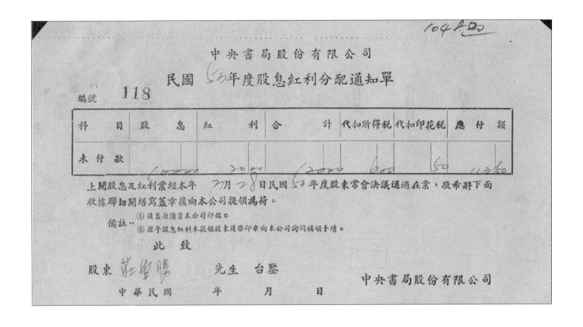

中央書局股份有限公司

民國 53 年度股息紅利分配通知單

編號 118

計 目	股 息	紅 利	合 計	代扣所得稅	代扣印花稅	應付額
未 付 款	60000	2000	62000	600	50	1260

上開股息及紅利當經本年 7月 28 日民國 53 年度股東常會決議通過在案，敬希將下面
收據聯切開填寫蓋章後向本公司提領為荷。

備註：① 請蓋原國章本公司印鑑。
　　　② 股年股息紅利未提領股東請帶印章向本公司詢問補領手續。

　　　　此 致

股東 莊學勝　先生　台鑒　　　　中央書局股份有限公司

中華民國　　　年　　　月　　　日

中央書局股息紅利分配
通知單。（林立生／捐
贈，廖振富／收藏）

「其實還好，他們從 1925 年 12 月開始募股，在洪元煌、張聘三等人幫忙下，隔年 6 月，四萬元資金很快就募足了。甚至因想加入的人太多，規定每人只得持有二股。」

「四萬元？」欣倫與小凱相看一眼。

「四萬元有多大呢？當時彰銀成立的資金大概也是這個數目！中央俱樂部的股東包括當時活躍中部的仕紳和文化菁英——張濬哲、張煥珪是大雅（七埒仔）大戶，在中部人脈廣闊；林獻堂、林幼春、楊肇嘉，陳炘、賴和為臺灣文化協會要角，並與臺灣地方自治聯盟及大東亞共榮協會的活動組織關係密切，可說集合當時名流菁英之力了！

創立總會於 1926 年 6 月 30 日在臺中醉月樓召開，那天，

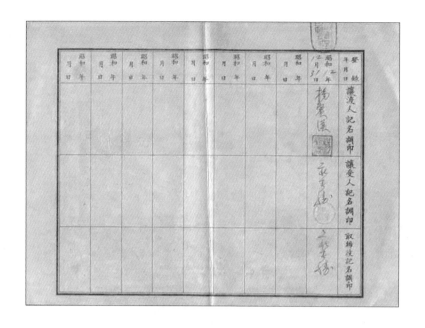

股票背後有執行董事莊垂勝的簽名。（林立生／捐贈，廖振富／收藏）

創立委員長張濬哲及委員莊垂勝都出席，四萬元資金分二千株，株主共 416 人。出席的株主 70 人，選林幼春為議長，擬訂公司定款（章程）後，由張濬哲、蔡年享、楊天賦、陳炘、林少聰、莊垂勝、張花組成取締役（董事會）；林垂拱、楊路漢、林碧梧、林西陸、賴烈火擔任監查役（監事）：張濬哲為取締役社長（董事長），莊垂勝為專務取締役（執行董事）。

　　7 月 8 日召開重役會議（董事會議），決定以一萬元為書局的開業基金，並決議派莊垂勝至上海、東京、大阪等地考察。」

　　「要成立個公司還真不簡單啊！」

　　「日治時想開店做生意尤其不容易，除須官廳許可，還須加入『組合』（即同業公會）。當時全臺灣只有一個組合，想

加入須得遵守『四丁目四方』不能有同業的規定，或者須經最近同業的許可才行。那時臺中有家日人經營的棚邊書店極為有名，既為組合理事，且是臺中市內各機關、學校圖書文具的指定領取店，中央書局開業須經他們同意。幸虧棚邊書店因具絕對優勢，對中央書局的開業申請，並未給予任何刁難。

另外，日治時期，公司的成立文件依規定全須用日文書寫，而中央俱樂部除了公司章程以日文表達，設立意趣書、起業目論見書、起業預算書全用中文，情形極為特殊。」

「感覺很不平凡，也很有風骨耶！」

黃伯呵呵笑兩聲，打了個呵欠：「今天累了，回去吧！」

欣倫與小凱意猶未盡，黃伯卻已起身，在桌上放張百元鈔票便就離開⋯⋯

「老伯，那中央書局後來呢？」

「正式開業！」

「明天？」

黃伯逕自往前走，翩翩身影融於夜色當中。一

臺灣地方自治聯盟第四次全島大會。（郭双富／提供）

挺立洪流中的文化城堡

市府路 103 號是中央書局
最初的店址，後來改為惠
華醫院。圖為 2017 年現
況，帶著滄桑的沉默，矗
立街頭。（羅有隆／攝）

書店滄桑│中央書局的興衰與風華

道光束照出無人舞臺，幾隻飛蚊於街燈下盤旋。中央書局似全身包裹著紗布的巨獸蟄伏街頭。

隔天，欣倫和小凱兩人一大早便急忙跑到中央書局，工人還未上工，房樓緊閉著，等了好一會兒不見黃伯，不覺有些失落。

「或許我們來太晚，明天早點來吧。」

隔天仍不見黃伯——「再早些吧！」晨曦照出他們地上的影子。

「妳覺得圯上老人會出現嗎？」小凱脫口說出這話，兩人不覺笑出。歷史往下寫，有些情節不斷重複，後人自前事借鏡到什麼？

「要不是須交這份報告，我們不會這樣勤快！」

「一般人對周遭的事往往視而不見。近百年前的史實，倘不及時釐清，後續知道的人恐怕更少了！」小凱踮起腳尖欲往工地裡頭探看，卻看不出個所以然。

舊城沒落，附近店家拉下的鐵門有的潮鏽有的開出一條條孔縫，景氣似將回返卻仍低靡。沿著市府路往前走，兩邊矮房向陽窗臺堆疊著塵埃，木楯鐵欄交相持護，再往前，紅磚地上鑲嵌著湖心亭圖騰，騎樓接連，地磚高低起伏，前行約三、四十公尺，兩人不覺驚喜喊出：「老伯！」

黃伯停在騎樓邊，指著身後的房樓說，這裡才是中央書局當初開業的地點。欣倫看牆前的門牌掛寫著「市府路103號」。

簡單的石材，呈現樸實的藝術美感。圖為外牆上的卷草紋飾。（羅有隆／攝）

「不錯，這裡日治時是寶町三丁目 15 番地，當初中央書局先租用這裡的木造平房開業，並購買前頭拐角地平房，當作倉庫及員工宿舍。」

黃伯指往他們方才走過來的方向，「現今那樓房是光復後才改建的。」

欣倫、小凱恍然大悟，小凱走到對街，蹲身對著這頭按下快門，時間彷又回到 1927 年 1 月 3 日那天──

木造房裡外擠滿好奇目光，木屐和草鞋雜沓。架上擺放著書籍、文具，日文、漢語和臺灣話混雜，精美的日文書及中文書籍一本本燙金般擺在架上，讓人手觸眼見，心神不覺興奮。

「中央書局開幕了！」這在當時可是一大盛事。眾人理想終於實現，並於同年 11 月發行《中央書局月報》。

新潮舊浪不停衝擊，原來的書局後改建為天主教惠華醫院，診療醫治許多人的病痛。欣倫與小凱隨黃伯往臺灣大道方向走，角間工地前門開敞，自一樓拾階而上，破裂磚縫裡彷聞跫音傳響……

「現今的中央書局於 1950 年張煥珪擔任董事長時興建，那時的常務董事是張耀東，為一幢折衷主義式建築，與對街三信同出自名建築師林文章的設計，沿街立面以方形列柱呈現，展現簡潔的現代主義，又摻了些許古典元素裝飾。三層樓高，

挺立洪流中的文化城堡

頂部圍繞牆頭有花草飾帶，裝飾集中在女兒牆上，由於地處街角，造型採彎弧設計，具氣派大門及寬廣的騎樓空間。內部桁架呈放射線伸出，幾近落地式的窗戶，使得內部空間顯得非常明亮，為具風格品味的文化堡壘。」

黃伯指著斑剝的樓層繼續說著：「中央書局一樓為門市，二樓因創辦人莊垂勝希望提供體驗『現代生活』的場所，這裡曾經委託人經營咖啡廳，三樓為辦公室，上頭還加蓋作為員工餐廳。張耀錡接掌中央書局時，咖啡廳已經歇業，只有一樓不到一百坪的空間在做生意，勉強容納二十幾個員工。二樓及一樓半挪做辦公室。

張耀錡的辦公室初始是在一樓至二樓間的夾層，之後經濟改善了，便將二樓擴大成門市。一樓販賣參考書、雜誌、童書及文具；二樓售較高級的書，如文學、法律、政治、社會、自然科學。二樓尚有空間，有段時期借予美國新聞處作為閱覽室，放置雜誌、美國書刊、歷史書等供民眾閱讀或辦展覽。

美國新聞處不使用後便擺桌椅，為讓東海、靜宜、中興大學的教授可坐著閱讀。誰知後來年輕男女都在這吃喝閒聊，只好將桌椅收起來，改放英、日文書籍。之後張耀錡將辦公室搬至二樓，還於當中隔出空間，作為座談會場所。」

黃伯指著二樓空盪盪的樓層，如數家珍地述說，沉積的光陰隨著留聲機轉動起來——之前被書架隔開的身影娑娑晃動

——深情、無奈、衝動與等待……，曾相扶持的溫熱及被現實摧剝的寒冷，於屋內交織迴盪……

沉寂、熱鬧，遠近腳步聲交錯，一排排鉛字自書中掉出，散落一地又重新排列組合……

電鑽刺耳，黃伯的聲音跟著抖顫，他指著破裂的窗戶說：「店內裡的書架越堆越高，遮去原本明亮的光線，造成許多人對中央書局留有昏暗的印象。」

粉塵飛揚，層層覆蓋記憶。他們走出工地，穿越馬路，坐回騎樓前的位置。新茶沏出，熱煙氤氳，於空氣中凝成薄薄的水霧。欣倫拿出圖書館及舊書攤蒐集來的資料，逐一在黃伯面前攤開。

中央書局的專用包裝紙。（郭双富／提供）

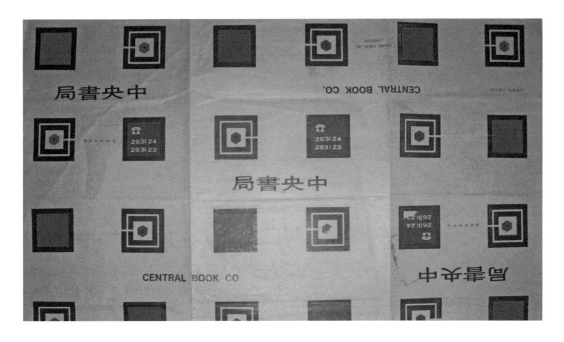

中央書局履現的文化使命

第二章

中央書局,一個因理想而創辦的書局,於經營者接連用心努力下,經日治、抗戰至光復以後,走過七十多年風霜歲月。在臺灣人受異族壓迫,精神最苦悶之際,供應人民書籍與雜誌;為提升臺灣人的文化水平,扶助藝術家,推廣藝文活動;並舉辦「談話會」,教育民眾,再興文化熱潮……

| 創辦、經營者群像 |

從 1927 年至 1998 年吹奏熄燈號，中央書局是如何營運的呢？而之前構想中的餐廳、旅店，後來怎都無下文？

太多的疑問等著被解釋。

黃伯深呼吸，緩緩說道：「這段時間是臺灣政局丕變，社會變動最劇烈的時期，這些核心人物剛好都和中央書局有關連，從這角度看來，中央書局真可說是臺灣近代史舞臺的正『中央』！」

「哈，這樣的解釋也很貼切喔！」

「而中央書局所以能發揮這樣重大的影響，關鍵就在於經營者的用心，以及他們一脈傳承、履現的使命。」

「中央書局主要的創辦及經營者是哪些人呢？」

| 「生不惑，死不憂」的事業發起人 |

莊垂勝（1897 年～ 1962 年）

「所以俱樂部的原始構想源自於莊垂勝！您上回說他人緣好，他到底是個什麼樣的人呢？」

「他父親莊士哲曾擔任過鹿港區長，叔父莊士勳和姑丈施仁思都是清朝舉人，雖然門第高家世好，卻無半點驕矜習氣，加上待人誠懇，不論望族鄉紳或工農野老都能和樂相處。他通

莊垂勝（中）與家人於
1961 年合影。右為妻子
林燕，左為長子林莊生。
（張光進／提供）

習書法、能唱京調，也能撰文賞玩音樂，才德品味俱高。本來
學農，後轉至霧峰林家擔任秘書，種下後續參與文化運動及創
設中央俱樂部的因緣。

　　莊垂勝思路清楚，言談具說服力，文協演講期間，照葉榮
鐘的敘述，莊垂勝如架『深耕犁』輕巧翻掘耙梳人民內心深處
的疑惑。另外他宅心仁厚，樂成人之美，但對於堅持的事絕不
讓步，遂有『莊鐵嘴』綽號。雖是理智型的人，待人卻極體貼，
總以一片真誠善意。他曾說：『朋友對我好，我當然對他好；
人家對我不好，我仍然對他好。』

　　中央俱樂部籌備期間，莊垂勝常須和朋友到橫山找張溶哲

莊垂勝與林燕的結婚紀
念照。（張光進／提供）

《懷樹又懷人》書影，
書中不但收錄林莊生回
憶父親莊垂勝的事蹟，
也記錄了父執輩的故事。
（遠景編輯部／翻攝）

洽商事情，十二、三公里的路途在當時不算近，為省時省力，
其他人都主張坐人力車，唯獨他不肯搭乘這種『一人坐在上面，
下面另外一人拉他』的工具，認為『既不人道』也『不合理』，
於是硬讓其他人坐車，自己步行跟在後頭。」

　　「啊，真的滿有意思的。他擔任專務董事，所以一開始中
央俱樂部的事務主要都由他處理？」

　　「可以這麼說，而他成立『中央俱樂部』的理想未能完全
實現，便於 1931 年與楊肇嘉另外創立了『中州俱樂部』，可
惜不久後發生了九一八事變，局勢漸趨緊張惡劣，只能充當社
交場所，未有重要的文化活動。

之後他便以業務稍見穩定為由，辭去專務取締役（保留取締役）。1937 年 7 月蘆溝橋事變，日本政府宣布臺灣實施戰時體制，古莊軍司令官並發表強烈聲明，揚言臺灣人言行倘若有任何陽奉陰違，有反日的言行，勢必嚴懲。當此之時，臺灣各地知識分子動輒得咎，被憲兵及特高警察干擾侮辱的事件，時時發生。莊垂勝 9 月 2 日被臺中警察拘置了四十餘天，被日人視為『注意人物』，為怕連累他人，他將中央書局交出由旁人管理，自身退隱萬斗六務農。

　　光復後莊垂勝擔任臺中圖書館館長，文化活動辦得有聲有色。當時盛傳：去臺中找朋友最好先去圖書館，就算找不到人，也可打聽他幾點鐘會來。當他主持的業務蒸蒸日上，卻發生二二八事件，社會動盪，市長潛逃。臺中父老不得不組織『臺中市時局處理委員會』，莊垂勝被推選為主席，之後受謝雪紅牽連，以『煽動群眾叛亂』為由被拘押，他自忖逃不過此劫，便在獄中自作輓聯：

自倖一門三世，無負國家民族；雖淪披髮左衽，未忘禮樂衣冠。

　　之後被撤免公職，便效『歸去來兮』，返鄉經營大同農場。」

仁厚無私的中央俱樂部社長

張濬哲（1898 年～ 1930 年）

「張濬哲呢？他是一個什麼樣的人？」

「這人可有意思了，他字明甫，是豐原大雅莊長張江中的長子，9 歲入公學校奮發讀書。12 歲突然喪母，悲哀至極，原本羸弱的體質無法承擔劇慟，便輟學在家塾進修。他曾在路上遇見一眼瞎的乞丐迷路，眼看他瞇眼側耳斜歪著身體，隨將碰撞跌倒，在場之人皆以看戲心情笑鬧，只有張濬哲趕忙向前攙扶，耐心引路，即便遭恥笑，也不受影響。

可惜他身體一直不好，15 歲遊東京，一方面做療養。之後承父祖託付，治理百萬家產，周旋於部屬、農戶之間，深獲族人讚賞。即便必須處理的事務繁多，他照樣勤學不輟，對東西方學說都能探源深究，漢文、華語、英日文，都不懈怠，閒暇時還賦詩、抒發情志。

張濬哲長得清俊瀟灑且好文藝，據說曾代替友人與女子相親，一見成功。他嗜

積極投入文化運動的張濬哲（明甫），有著熱情而溫暖的心。（郭双富／提供）

讀社會主義書籍並擁豐富藏書，自奉簡樸而熱心公益。25歲那年遊歷內地，正逢大陸新思潮激盪蓬勃時期，張濬哲受到刺激，對於知識的渴求更為迫切，於是大量採購各類書籍，滿載返臺。

文化運動興盛時，張濬哲積極投入，不但影響胞弟煥珪，也帶動地方對新文化的參與。他支援《民報》宣洩輿論、資助大東信託、創大雅文庫組織讀書會，並設育英社，收養教育貧困兒童、擬組藝術聯盟、會社，對於如何造福桑梓，提升臺灣人的知識及生活水準，具有遠大抱負且付諸實現。

他在結識莊垂勝之後，因激賞莊垂勝的才華，力挺中央俱樂部的成立並被推舉為募股中心。

張濬哲極為孝順，常回大雅橫山省親。性情敦厚的他，滿腔犧牲精神。中央俱樂部成立時張深切、張煥珪都在廣東，他便以『攘利不先，赴義恐後』的精神被推舉為取締役社長。而肺疾纏身，第一次股東大會便因病缺席。但對書局的設備經營極為關注，立下不以營利為目的的經營理念。他見書局漸上軌道，便著手計劃建築旅舍、食堂，1929年夏秋之交，

張濬哲辭世後，親友為他編印的《張濬哲（明甫）榮哀錄》。（郭雙富／提供）

而便用其有餘。各隨得其自由。以理推之。其有害間比無害酒甚也。其飲也。或作海外之遠遊。巧山間之靜養。讀古今之奇書。稽內外新報雜誌。招知己縱酒清遊。經覽大觀具留於後世哉。此吾所抱之人生觀也。【以下古藏】

遺詩

秋日客懷

緣知飛雪落三十　　　一舟歸賞百花開
旅中　　　秋懷
窮骨換詩資　羈甲羨成　
飽愛化　羽衣整致待回天　
霜時節傷憶　明湖檻中　身　酌酒
山莊莊靜無處　詩成始登
興時輕節躋　讀青骨偏情耕　
文章寫　事過方知詩社其　添地伏花濺煙
色。世人何必關思狂。　客中懷定山先生
煦傅多病見唐才。大塊文輪君自撰。曜列
人世天府照。一角身開落巍山。

張濬哲為中央書局費心勞神，最終臥病辭世。去世前仍殷殷叮囑要完成文化事業，《榮哀錄》中有其敘志遺詩。（郭双富／提供）

即便在神戶舞子萬世園養病，仍然致力研究，書信往返，留意交換興業的土地。年底返臺即物色建築技師，籌備動工，豈料在車上受到風寒宿疾復發，臥病月餘，於 1930 年 3 月 19 日辭世，享年 33 歲。彌留之際仍殷切囑咐張煥珪，一定要完成未竟事業。」

「唉，斯人也而有斯疾也！」欣倫與小凱不免惋惜！

| 熱中民主及慈善事業的董事長 |

張煥珪（1902 年～ 1980 年）

　　印象中日治時代的文人仕紳多具風範與氣質，既受新式教育又有傳統品行。張煥珪在兄長遺命下接負起中央書局董事長職務。他是臺中中學第二屆畢業生，畢業後積極參與文化運動，埋下日後加入文協的因緣。18 歲與霧峰林烈堂之女林月霞成親。先後肄業東京明治大學法科及上海大學。留學上海時，曾於 1924 年 3 月加入具無政府主義色彩的「平社」，並以筆名在社刊《平平》上發表文章。張深切、張月澄在廣東組織「臺

灣革命青年團」時，他曾慷慨解囊提供金援，還因此被捕。警察以他在家鄉的人望高，為防發生意外，前去逮捕時故意小題大作，全副武裝包圍住宅，做戒備森嚴的示威。張煥珪年紀輕輕未營大事業卻常往大陸跑，屢次引起日本警察的關注，之後妻子便建議他投入教育事業，轉移旁人注意，於是興辦了新民商工。

張煥珪嫉惡如仇且無私心，即便貌似威嚴，仍然受人愛戴。他在中央書局任內發行《新知識》、《文化交流》等刊物，致力開闊人民視野。此外亦擔任臺中興業信用（即第一信用）組合長、《臺灣新民報》顧問、大雅莊協議會員，熱中慈善事業。

除了張家兄弟，中央書局還有一個靈魂人物，那便是被稱為「美術舞臺上的燈光師」的張星建。

張煥珪夫婦及其兒女朋
友齊聚一堂。（郭双富
／提供）

| 矢志推動藝文、美術的經紀人 |

張星建（1905 年～ 1949 年）

　　張星建 (17) 出生於臺中市楠町三丁目六番地，筆名掃雲。肄
業於臺南商業專門學校（今成功大學前身），他以此學經歷進入
中央書局，隨即獲得莊垂勝青睞。於中央書局這人文薈萃的環
境，張星建不僅有機會接觸當時活躍於中部的臺灣政治、文化運
動領導者，更與文協、臺灣地方自治聯盟開始有聯繫，於是便利
用職位之便，廣結善緣，落實並擴大莊垂勝推動文化的理想。

　　張星建於 1930 年 3 月出任中央書局支配人（營業部主任），
當時董事長為張煥珪。1932 年 4 月《南音》半月刊遷至臺中發

行，第 7 至 12 期皆由他主編；11 月起更一肩扛起《臺灣文藝》編務、負責雜誌的發行與銷售，期間發生和楊逵因為選文意見不合，造成楊逵離開《臺灣文藝》，另創《臺灣新文學》。

張星建為提升臺灣人的文化層次，讓本土藝術家有較好出路，不惜勞心勞力成人之美，將光采留予他人，自己站在臺下默默付出。是巫永福口中的「文化先仔」、呂赫若眼裡的「臺灣文化界的綠洲」、張深切口中的「萬善堂」。

中央書局因張星建的努力人脈更寬，文藝密切相融，散發更讓人欣喜驕傲的光采。他不幸於 1949 年 1 月 20 日深夜，被刺殺於臺中柳川邊，留予後人無限唏噓。

張星建（前排中間）出任中央書局的營業部主任，本身具有商業經營的專業技能，致力開拓中央書局的前景。（張光進／提供）

中央書局履現的文化使命

| 力求生存，苦撐到最後的經理 |

張耀錡（1925 年～ 2016 年）

　　張耀錡是張煥珪第三個兒子，臺灣大學歷史系畢業後，至文獻委員會做研究與編輯工作。光復後，中央書局業務一度沒落，曾經成立改造委員會，聘人擔任常務董事，負責業務與財務工作，而頻換人選卻無成果，改造無疾而終。期間更因財務困難，將中正路（今臺灣大道）部分產權讓出。

　　莊垂勝以張耀錡文史出身，適合做書局業務，於是建議將他召回臺中，先在中臺印刷廠工作，1956 年才進入中央書局。當時中央書局並無經理，只有一個副理（黃榮品）及營業部主任（丁顯泉）。張耀錡初始的職稱為「專員」，一年多後升為經理。中央書局之前在理想性的經營下，造成許多財務虧空，張耀錡接手後除力圖振作改善經濟，還須面對各種接踵而來的挑戰——通貨膨脹、舊城區的沒落、新興連鎖書店的競爭⋯⋯。他一方面爭取收入，以對股東有交代；同時也出版、販售好書，顧及書局形象。審稿、編書，邀集文人聚會，他於混亂中掌舵，辛苦續航，直到書局歇業。

　　張耀錡個性沉靜內斂，具史家求真務實精神，他致力於臺灣史及平埔族的研究，曾出版《礫石文集》、《臺灣近代社會史綱》、《臺灣平埔族社名研究》。

欣倫發自內心佩服這些人，感覺那是優良家風涵養出的氣質，亦是非常時代孕育激發出的擔當。他們先後相承著理想，完成各階段任務，讓中央書局得與周遭相連互動，發揮更具體的影響力量。

「哲人日已遠，典型在夙昔！」人俯仰於特定時空，自然成為其中風景。

「中央書局實在太重要了，若要舉說它的貢獻，該要怎麼說呢？」

黃伯沉思一會兒，以微顫之手指著欣倫面前的書本：「書吧！你們知道漢文書在日治時代有多難得？」

中央書局履現的文化使命

張耀錡具有史家的識見，著有《礫石文集》，記錄臺灣的歷史。（羅有隆／攝）

| 書籍雜誌的供應與發行 |

　　黃伯清了清喉嚨說：「『中央俱樂部』的初始構想雖未完全實現，中央書局在漢文保存及祖國文化灌輸上卻做得有聲有色。莊垂勝於 1926 年親赴上海選購書籍文具，接通書市，日後商務印書館、開明、世界、中華等書局發行的書籍源源而來，中央書局於是成為全臺中文書刊最豐富的書店。在知識來源貧瘠，漢文書無處可買的年代，為臺灣人打開識見之門。

　　不只漢文書，日治時期連日文書的販賣也由日本書商包辦，臺灣人幾乎沒有機會介入。中央書局不但出售日文書，且

選擇東京岩波書店、京都弘文堂等一流書店出版的書籍。這些
書因利頭薄，書商條件苛刻，連日本人經營的書店也不見得樂
於銷售。中央書局總以品質為最優先考量，所出售的日文書不
但臺灣的知識分子喜歡，日籍官吏、教員也極肯定，為當時臺
灣唯一有販售日文高級書刊的書店。」

「品質管控，所以中央書局是走高檔路線的書局喔？」

「的確是的，它的規模大、層次高，坊間流行類似《梁成
征番歌》、《英臺留學歌》那類的通俗歌本，中央書局是不賣
的！中央書局還流通各種雜誌，提供藝文新知，接連世界脈動，
呂赫若便常到中央書局借閱雜誌；莊垂勝自書局帶回家的《中
央公論》、《改造》、《日本評論》便引來許多同好，據說河
內野醫師之所以成為莊家常客，也是受到雜誌的吸引。」

「除了流通書籍雜誌，中央書局為了文化推動，更資助藝
文雜誌的發行。」

「意思是中央書局除了賣雜誌，自己也發行雜誌？」

黃伯點頭：「你們必須了解，日治時期臺灣的文化運動集
合啟蒙運動、社會運動、政治運動於一體。1927 年文協分裂，
1929 年後因全球性經濟大蕭條急遽蔓延，為緩解統治壓力，日
本政府對外侵略及對內高壓並行，臺灣各種反抗組織幾乎全數
瓦解。風聲鶴唳之際，知識分子不得不暫時擱下各自的政治信
仰，轉投入與政治較無直接關連的文學藝術，於是促成文學社

團的集結，更助長 1930 年代臺灣文學的興盛。」

「您是說社會運動被禁止，文人轉而投入文學藝術？」

「那跟辦文學雜誌有關係嗎？」

「當然有關啊！文學雜誌提供作品發表園地，且具凝聚共識及活動推廣功能，於是成為當時文人關注與經營的重心。」

「聽起來很有道理，可是應該也不容易吧？」

「當然啦，之前不是有種說法：若要陷害一個人，讓他傾家蕩產，就鼓勵他去辦雜誌。」

「你知道一份刊物除了內容的編輯、資金籌募、行銷及讀者群的開展皆是難題，有人有錢還要有理想。中央書局的成立不為營利，股東多屬同好，在人事與資源上占有絕對優勢，加上主事者的用心，便成為當時重要刊物的發行所。」

「中央書局發行的刊物主要有哪些呢？」

「比較重要的有《南音》(18) 和《臺灣文藝》(19)，這兩本刊物本來都在臺北發行，後來才移到臺中，由中央書局接手；至於《新知識》及《文化交流》，則是由張煥珪在擔任中央書局董事長時出資發行的。」

| 《南音》 |

「先說《南音》好了，這雜誌的創刊源自於郭秋生，他擔任臺北著名餐廳江山樓的經理，極力主張創作用漢字將臺語文

字化的『臺灣話文』，當時臺灣設有漢文專欄的媒體只有《臺灣新民報》與《臺灣新聞》，能討論文學的場所實在太少。他和黃春成討論後，覺得有必要創辦文學雜誌，便號召賴和、張煥珪、張聘三、葉榮鐘、許文逵（文葵）、周定山等人在莊垂勝家召開籌備會。之後又邀洪炎秋、陳逢源、吳春霖加入，便是所謂的十二同人。」

「啊！感覺那時文人圈較活躍的就是這些人，而這網絡似乎又以莊垂勝為中心！」小凱點頭，頗有同感。

「這些人理念相同，從文協之後，即便經過那樣多事，他們期盼臺灣人能自覺的初衷從未改變。昏暗中走顛簸的路，讓人不分彼此，相互扶持。先覺者有志一同，當時文人鮮少圖謀個人名利，只在乎如何為眾人尋求出路。

正如葉榮鐘於發刊詞明言：『此份雜誌是為彌補臺灣人長期缺少思想訓練及文學涵養，期待成為思想交流平臺，肩負起文藝啟蒙功能。』」

「雜誌為何取名為《南音》？」

「其實雜誌發行時未明定思想方向，本來要將刊物命名為『雜菜麵』。後因林幼春覺得太滑稽，怕被視為遊戲，才改名為《南音》，取『南國之音』的涵意，並由莊垂勝揮毫。

創刊號於 1932 年 1 月 1 日發行，為閃避日本人的嚴密審查，剛開始由與臺灣自治聯盟較無關連的黃春成掛名發行，編

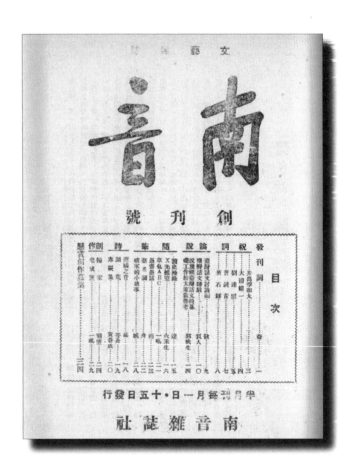

輯由郭秋生負責。至第 7 期，為了印刷與發行的方便才移到臺
中，由中央書局的張星建接辦發行。《南音》與文協及自治聯
盟等文化組織於是有更直接聯繫。」

「《南音》的成員集合了藝文界菁英，雜誌內容主要是什
麼呢？」

「《南音》成立於新舊思潮及文學形式的過渡期，內容可
說是無所不包，從自治主義涵蓋到社會主義思想；文學型態包

含評論、小說、詩歌、散文、諺語、童謠等；文體以中國白話文為主，也使用臺語、漢文，有時以日文假名表示讀音，網羅當時臺灣所有能夠論及的政治思想、文學型態及語言。」

「所以是當時很具分量及代表性的刊物囉？」

「是啊，而陣營龐大是優勢，卻也容易滋生事端！《南音》後來因創刊理念受到誤解，在漢語文化圈被視為鄉土文學的大本營，左翼人士於是稱它為『反動雜誌』。《南音》為了反駁批評意見只好表明政治立場，強調自己是站在『大眾』的觀點，而這舉動反而引起當局注意，從此遭受嚴密監視。7 月 25 日第12 期發行後，便因刊登反日作品被當局禁止，宣告停刊。」

「好可惜喔，歷史的發展為何總是這樣曲折⋯⋯」風雲生成有其原因，卻也常讓人始料未及！欣倫不禁感慨。

「不過從樂觀的角度看，生滅相存依，歷史興衰環環相扣，人事不論如何發展都有它的意義：《南音》創刊時正值歌仔戲、臺語流行歌盛行，他們試圖將臺灣母語文字化、並嘗試創作臺灣人共通的文字語言活動，就這點來說相當具有意義。如郭秋生蒐集臺灣俚語、童謠及歌詞，在《南音》發表以漢字表記臺語的具體嘗試，便引起莊垂勝、賴和及其他社員的熱烈討論，引發後來的鄉土文學論爭。《南音》成為當時臺灣知識分子重要的交流場所，也為實現知識分子大團結——臺灣文藝聯盟（簡稱文聯）的成立營造基礎。」

眾志集成共同理念，分歧、彎轉，再匯流成另外的景觀，從文協到文聯，包含了文人眾生相，這些代表刊物提供最細膩、具體的演變線索——

對於這些深具歷史意義的雜誌，欣倫與小凱更加肅然起敬。

| 《臺灣文藝》 |

「說起《臺灣文藝》的創立，那還真有一段複雜的過程。」

欣倫翻開文學史：1927 年文協分裂，臺灣民眾黨成立，隔年分裂；1933 年臺灣文藝協會在臺北成立；之後又有東亞共榮協會組織及《先發部隊》的創刊……，顯然當時臺灣文人澎湃的意志急於會集，欲想擺脫凌辱，揮旗吶喊，喊叫出存在感。

1934 年文聯成立，用來突破殖民者的意識藩籬，成員不論立場，是一跨地域的文化組織，《臺灣文藝》是文聯宣揚理念的刊物，為充分展現文學與藝術的聯合陣線，也為日治時期的文人藝術家提供創作舞臺。

「這樣看來，《臺灣文藝》的理想、聲勢都是史上未有，應該可有一番大作為！」欣倫、小凱精神不覺跟著振奮起來。

黃伯怕他們把事情看得太簡單，趕緊接著說：「事實上文聯成立時並無資金，真要實現理想，還是困難重重。」黃伯認定過度簡化不易見著歷史全貌，也將忽略許多精采。

欣倫已然清楚那樣風狂雨驟的時代，物資即便匱乏卻可相通有無，雨大可連手撐起傘蓋，被褥破敗，仍可相擁著取暖。痛苦一同承擔就少了些疼，有人慷慨有人勤快，有心便有力，足以成就不可能任務。

　　文人成事無須刀槍，卻能於紛擾世局開出一條前路。所謂偉大，一種是自身的不平凡；另一種則是願意犧牲自己，成就他人。黃伯說：「文聯的活動多靠張深切及賴明弘等人奔走，其中出力最多的是張星建。

　　張星建當時在中央書局的職位已升為總經理，便一肩扛起《臺灣文藝》總編輯工作，他首將《臺灣文藝》納入中央書局的行銷管道，透過供銷書店的擴展，讓更多人見到《臺灣文藝》。另外，他四處拉廣告作為收入，藉由大量廣告的招募籌資，並尋求文化人士的認同。其中包括請大東信託株式會社陳炘總經理每月刊登全版廣告、請市內辯護士（律師）、醫院買廣告或請林幼春捐錢資助，至於中央書局贊助的廣告更常見著。1936年更透過文聯東京支部，邀請朝鮮舞姬崔承喜來臺公演，以門票收入為《臺灣文藝》開源。希望透過《臺灣文藝》的推廣，達成文藝普及夢想。

　　雖然全力以赴，不吝惜任何犧牲，而當時臺灣總人口數僅六百餘萬，讀書、識字的人偏少，人民既無閱讀習慣，媒體經常遭受總督府新聞箝制，在這樣的環境下，辦雜誌極其艱難，

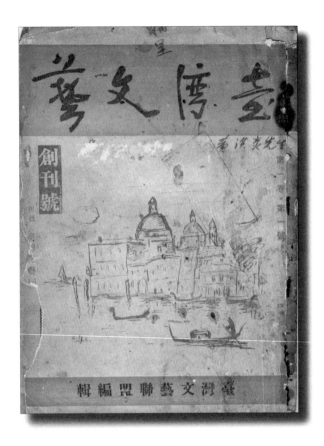

《臺灣文藝》創刊號。
（遠景編輯部／翻攝）

想靠聯盟會費及雜誌銷售支撐發行，更不可能。張星建卻仍堅信『書籍是文化的根本』、『文化創造者須有計畫培養廣泛的讀者層』，秉持知其不可而為之的精神，奮鬥不懈。

　　張星建藉中央書局支持《臺灣文藝》，邀請《臺灣文藝》同好，撰文、畫插圖，並以作品作為雜誌封面。環繞其中的作家、美術家、音樂家、戲劇家便直接間接地納入中央書局的人脈網絡。書局、雜誌，文藝與人情，於此有最巧妙的轉換與連結。」

　　「哇，張星建若生在現代，一定是個傑出的文化經紀人。」

《新知識》，1946 年 8
月創刊號。（秦賢次／
收藏，臺北傳文文化／
復刻，陳學祈／提供）

　　至於《新知識》和《文化交流》出現的時間較晚，壽命也
較短，而即便曇花一現，亦是時代產物，記錄當時候的人文風土。

｜ 《新知識》 ｜

　　按照《臺灣文學期刊資料庫》的記載：《新知識》於
1946 年 8 月 15 日創刊，由張煥珪（時任臺中縣參議員及中央
書局董事長）出資，王思翔、周夢江、樓憲三人合編，中央書
局出版，張星建擔任發行人。王思翔、周夢江兩人既是同鄉又

有表兄弟關係，兩人一同在臺中的《和平日報》任職，因工作關係常見著來自大陸的報刊，發現有不少與官方觀點不同但很有價值的文章，於是萌發辦份刊物，將一般臺灣人無法看到的資料摘錄成輯的想法。

「所以所謂『新知識』是針對臺灣人民而言？」

「是啊，刊名之所以定為《新知識》，正如〈創刊詞〉所誌，目的『只想為臺灣六百萬同胞介紹一點新的知識而已。』」

刊物內容雖然違紀但卻精采，據說刊物排印期間，莊垂勝（時任臺中圖書館館長）在印刷廠看到部分印件，甚表讚賞，於是應邀為刊物題字。可惜因刊物內容觸犯當局太多，被臺中市政府以『未經批准登記』之名，在印刷裝訂所即被查封沒收。發行一期便告停刊。」

「我們目前看到的雜誌還是當時印刷廠員工搶救下來的。」

| 《文化交流》 |

《文化交流》為不定期輯刊，仍由中央書局董事長張煥珪出資，主編為王思翔。

記取《新知識》的失敗經驗，《文化交流》改採溫和穩健的編輯方針，盡量不談政治。而為了團結臺灣文化界，達到交流目的，還特別邀請楊逵加入主編，再請不具色彩的知名人士藍運登，向臺中市政府申請成立「文化交流服務社」，以籌備

《文化交流》，1947年1月創刊號。（吳三連臺灣史料基金會／收藏，臺北傳文文化／復刻，陳學祈／提供）

出版書刊。第一輯創刊於 1947 年 1 月 15 日，而在排印第二輯時便遇上二二八事變被迫停辦，創刊號也成了終刊號。

　　《文化交流》屬純文化雜誌。創刊宗旨如其命名與封面漫畫一樣，〈卷頭語〉：「是想在此時此地的文化盡一點交流的作用。」刊物主要在介紹中國及臺灣文化，目的在交流。

　　「你們看！」黃伯指著《文化交流》的封面：「張煥珪題的字，而這圖──」

　　欣倫與小凱湊近看，只見畫裡一母親正在哺乳，兩人交換了不解目光。

中央書局履現的文化使命

陳庭詩

陳庭詩（1913～2002），
中國福建長樂人，家世
顯赫，祖母為清代臺灣
巡撫沈葆楨之女。生於
書香世家的陳庭詩雖然
自幼失聰，但致力學習
國畫、篆刻、詩詞，奠
定深厚的國學基礎。陳
庭詩是臺灣現代藝術發
展的代表性人物，活躍
於臺灣 1950、1960 年代
「現代抽象繪畫運動」
興盛時期，同時也加入
「現代版畫會」及「五
月畫會」。作品包含版
畫、水墨、雕塑與壓克
力，風格抽象，嘗試將
東方傳統元素轉化為具
現代性的符號。

「這漫畫題為〈奶！奶！〉，是由當時《和平日報》的美術編輯陳庭詩（筆名耳氏）畫的。」

「為何要將母親餵奶的畫面放在雜誌封面？」

「你們認為呢？」

「代表良善與母愛吧！」小凱還在思索，欣倫率先回答。

「應該跟文化或民族意識有關吧！」小凱想得較深入。

「是啊，這嬰孩代表臺灣，母親的懷抱則指中國。」

「哇，當時文人對祖國文化真的很眷戀耶！」

扶助藝術家，推廣美術活動

「中央書局到底是家什麼樣的書局？」這些日子來，欣倫連作夢都在想這問題。筆記本上陸續寫下這樣的敘述：

「它是文人志士實現理想的場域，是思想智能的補給站，更是當時通往藝術殿堂的階梯。」嗯，感覺上只要走進中央書局的大門，生活與品味便將獲得提升機會，中央書局真的不只是一家書局。

「為什麼有那樣多知名藝術家會跟中央書局有關連呢？」

「中央書局秉持提升臺灣文化水平初衷，書籍外也賣藝術用品，如琴譜、樂器，唱片、美術……。鍾逸人小時候便常到中央書局替四叔鍾聰敏買小提琴弦；李石樵、陳慧坤、陳夏雨因為到中央書局買畫具認識張煥珪，開啟後來藝術生涯的許多

因緣；張星建對藝術家更敬愛有加，常替藝術家租借場地、製作海報，甚至出資贊助展覽或購買作品，當時藝術界盛傳：『到臺中辦展覽，先找找張星建』。」

「張星建為什麼要這樣做呢？」

「他在 1930 年擔任中央書局營業部主任時，便在莊垂勝授意下，每年在臺中舉辦洋畫講習會，邀請陳澄波、廖繼春擔任講師；每年並舉辦一次以上的繪畫展覽。

張星建是最體貼的策展人，他誠懇善意地穿針引線，替藝術家製造創作機會，資助他們成長。1931 年李石樵 (20) 赴日求學，為籌學費常利用返臺期間到臺中為當地仕紳作肖像畫，張星建體恤他負家累又須往返東京參加帝展，便常介紹當地仕紳讓他作畫，自己也讓他畫了一幅。另外，黃土水 (21)、陳夏雨在發跡初始或窮途潦倒之際，張星建也都曾伸出援手。

顏水龍剛搬到臺中，曾經暫住在王水河 (22) 家裡，剛好又跟張星建是鄰居。王水河不輕易替書作封面，張深切在中央書局出版的《遍地紅》卻出自他手筆。」

「張星建是藝術家之間的黏著劑，能有這樣的胸襟與識見，真的很不容易。」

「只要有心，便能在艱危環境開創出路！所謂先知，大概就指這樣的人。放眼人類歷史，有人無法洞燭機先，有人即便有意識卻束手無策；張星建不但能見著問題、想辦法改善，

並且全力以赴。他自進入中央書局後，便積極參與推廣美術的活動，不但在《臺灣文藝》開闢『漫談臺灣美術』專欄；並自 1935 年 8 月起親自撰寫〈臺灣的美術團體及其中堅畫家〉文章。系列介紹活躍於 1920 年代與 1930 年代之間重要的美術團體與個人，日人與臺人皆不偏廢。

長期關注臺灣美術，張星建注意到西洋畫特選組的畫家，頗有進軍日本中央畫壇的潛力，於是呼籲臺展審查委員的安排必須超越黨派，推出具競爭力的作品，若能在國際賽事脫穎而出，既可提振畫家士氣，也是臺灣文化實力的展現。

張星建感受本土藝術家的藝術熱情，卻親眼目睹他們資源不足，不知如何與社會互動的窘境。於是竭盡所能地創造機會，打亮舞臺燈光，鼓勵藝術家站上前去，讓更多人看到這苦難的島嶼含藏瑰寶，臺灣人灰樸的身影其實盛裝著耀眼靈性。

他替郭雪湖 (23) 在臺中籌辦了兩次個展；臺陽美協到臺中巡展，他更召集文聯成員辦歡迎會，並陪同拜訪當地重要人士。」

「若沒有他這樣做，當時的藝文界可能就是另一種情況了！」欣倫由衷佩服。

「日治時期的臺灣，美術屬於上流社會的活動，美術家創造的美感，須得仕紳、文人贊助才得持續。張星建巧妙媒合供需，提升藝術水平，促進美的流動，確實是很重要的角色。

不只美術，張星建致力推廣的還包括音樂、舞蹈與戲劇。他疼惜臺灣藝術家，實包含深沉的民族情感。殖民地人民藉由藝術揚眉吐氣，那份光采看在張星建或林獻堂等藝術贊助者眼裡，有著另一層驕傲與意義。或許便為這樣的原因，張星建在對臺灣美術的觀察及推動策略上，總具有相當的理性與前瞻眼光。

　　推廣藝術，提高藝術家的能見度，關係拉近，理念互通，無形中亦激發出藝術家的民族意識。而這一連串巧妙人情，便是以中央書局為根據地一點一滴地發生，中央書局儼然成為中部的文化中心。

　　除了扶植藝術家，中央書局對美術活動的贊助亦不遺餘力，之後中部美展便曾在中央書局收件，中央書局不但贊助資金並設獎項。」

　　「無怪乎那樣多人對中央書局存有特殊情感，它提供助力，讓許多人生命飛起。」

　　黃伯站起來，拍拍衣褲上的皺褶，便走進店裡。

　　欣倫舉頭望天，灰雲沉積，腹中抽出絲絲光亮，雲似靜止實緩緩移行。

　　「要不是做這專題，不會知道這些人這些事。」欣倫有感而發。

　　「不知道這些，日子一樣照過，只是……」

　　「只是好像少了什麼！不認識腳踩的土地、不明白家鄉歷

史，如何適當憂喜，妥善珍惜周遭與自己？」欣倫有感而發。

小凱摸摸手中相機，他自認為有知覺，即便無法創造些什麼，也要盡己所能留下一些見證。

「人文氣息是一座城的靈魂，以前史書裡輕描淡寫的一頁，原來有這樣多內情，知道這些，視野才具景深，有了這些連結，才算真愛這片土地！」

欣倫似乎有些激動，之前自書頁文字理解歷史，總覺抽象遙遠，眼前斑剝的牆面殘留前人遺跡，仔細聽，彷可聞見當年的生息跳動。

人力車轉動，光線調弱，黃伯坐回位上，又帶領他們回到中央書局。

｜「談話會」再興文化熱｜

「黃伯，聽說中央書局有舉辦一種談話會，那是怎麼回事？」

「談話會是莊垂勝成立中央俱樂部時就有的點子，認為文化不能光靠少數人倡導，應該鼓勵眾人參與，電光石火相互觸發點燃，才能迸出光采，他在圖書館任內於是將這構想付諸實現。談話會通常在下午四、五點舉行，會員包含中部文化界人士、醫生、民意代表及各行業的人。由圖書館提供場所，主講者則以來臺中訪問的外地人士為主，大家以『話』會友，交換

經驗意見，發揮文化傳遞及交流功能。」

「類似現在的座談會？」

「是啊，在媒體功能尚未發達，民主未見蓬勃的階段，這樣的活動給予民眾許多教育機會。」

社會變動，民智將開，重壓的鍋蓋掀開，滿鍋米穀急著吸收水分熟成，那是個民情如何激越風發的時代！小凱嘆了一口氣。

欣倫與黃伯抬頭看他：「你怎麼了？」

小凱咬了咬下唇：「沒啦，只是突然有點感嘆，羨慕起那時候的人，即便造化弄人，讓臺灣人一路遭受這樣多的磨難，至少當時人民感情純一，內心善良，不必面對像我們現在這樣多的矛盾。」

「唉，快別多愁善感了啦！時代不同，試煉也不一樣，古人不見得優於今人，今人也不必然醜惡。看清史實，了解淵源，讓人學習如何持平面對過去與未來更重要！」這回倒換成欣倫理性了起來。

黃伯大略理解這兩個年輕人在說些什麼，易地而處，每個時代、地域的人都有甘苦，幸福與苦難縱有差別，也只是形式與程度上的不同。啊，今夕何夕，黃伯竟坐於街頭和兩個新世代的年輕人談古論今！

陽光斜傾，中正路都已經改名為臺灣大道了，老舊街坊於地球公、自轉中漸移身姿……，在變動時局中，人該堅持的是

什麼？欣倫不覺又恍神……

「啊，剛才談到哪裡？」黃伯的提問將欣倫的注意力拉回。

「談話會！」

「喔，有意義的事就該持續，張耀錡接手中央書局後幾年，亦仿照在書局二樓舉辦小型的談話會。每月第二週的星期五，一些文化界人士前來聚會，洪敏麟是常客，還有畫〈百美圖〉的楊啟東及楊啟山；另外還有記者、教師、畫家等等。在賴洝的印象裡，曾出現的有陳千武、黃順興、林亨泰、錦連、張彥勳等人。當然，賴和 (24) 和楊逵也是常客。你可想像：賴和帶著賴洝，楊逵後頭跟著年少的楊翠，進到中央書局後，只聽楊逵轉頭對楊翠說：『妳自己去找書看，我和朋友有事要談！』說著便進到張耀錡的辦公室裡面。」

書無語，一本本自架上被取下，映入年少好奇的眼眸；辦公室裡大人盡情談說，時而喧譁熱烈、時而凝重莊嚴。座談會並無特定目的，純粹隨興雜談，關於前朝史事、當今局勢，彼此心中所想，盡於熱茶氤氳中相互激盪。

當時在中央書局每個月有兩次會餐——福壽會及散人會，張耀錡藉此機會聯絡文化界人士一起聊天，蒐集臺中資訊。

漢和書籍雜誌
文房具學用品
洋畫材料額椽
運動器具服裝
蓄音器洋樂器

株式會社中央俱樂部

中央書局

臺中市寶町

電話九五七番

振替臺灣一六九一番

1932 年，中央書局開幕
後，曾在《南音》雜誌
上刊登廣告。（林良哲
／提供）

情義織連的文藝網

第三章

舊牆斑剝，裡頭強硬的鋼筋仍然不屈緊咬著土泥。遙想那讓人悲憫又景仰的時局
——異族壓迫，新潮衝擊，文人志士對現世社會有著不平與改變期待。胸中塊壘
必須澆灑、情性待尋安頓之所，生而為人的尊嚴慘遭踐踏後，受損心情如何換轉
成另種形式，重拾知覺與活力並相療癒。

時代因人而偉大，中央書局最讓人推崇緬懷的是什麼？

舊文學如何裝載新情感、新藝術如何表現恆永心志？文藝無用而有大用，文人似軟弱卻也堅強，文藝儘管形式不同，傳情達意的功能卻同。一個個於昏天黑地中踽踽獨行的身影，因份執著與良善，便相群集出光采。

欣倫翻開筆記本，繼續整理重點：

從文協到文聯，自《南音》到《臺灣文藝》，中央俱樂部勾繪出藍圖，從書籍、訊息的提供到藝文推廣，中央書局的成立與延續，一直是文人仕紳共同理想的實踐，也是他們情志相互扶持的展現。原本相識或彼此陌生的名字，於此而有深刻交集。中央書局似耐看的劇場，青少、年長，內向或外放的角色輪番上場，獨白共舞，舊曲翻唱或譜新的曲調，於亂世連綿出精采史詩。

「小凱，你是否發覺以前的文人，心志專一，情感較為單純？」

「是啊，志同道合便相互扶持，共組一時代的特有風貌。」

「而在中央書局這個文化據點，莊垂勝似乎是靈魂人物。」

誠懇的磁場，將許多良善人事串組起來。莊垂勝在文協時代以無礙辯才醒悟廣大群眾；平日交遊，又以卓越識見及無私氣度，讓和他接觸的友人由衷親之信之，結成生命中最感念的

摯友。因著他的感召，一顆顆懷憂喪志、抑鬱憤慨的心靈獲得了救贖，越是昏暗悲苦年代，溫情善意彌足珍貴。一本書刊的分享、一個理念的點亮、執著之心一旦通連了，生命便因此明亮寬敞了起來。

從中央書局穿入歷史廊道，自莊垂勝及張星建的交友圈觀看，便能見著當時藝文界的主脈。

「小凱，你有沒有發現，有幾個名字一直反覆出現！」

共組《南音》的十二同人，賴和、張煥珪也是中央書局的贊成人；黃春成則為善讀善文又善酒的才子，赴日讀書，差半年大學就將畢業，卻被家人召回臺灣強命完婚。即便生不逢時、命運多舛，卻仍懷抱理想，創書局、辦雜誌，與莊垂勝有著相似的理念與做法。

欣倫在林莊生《懷樹又懷人》書頁中作出許多標記，再加上當時人的日記，串連、想像那時代的文人風情，幾個環繞中央書局的名字閃亮起來。

| 悲音高歌轉作小說 |

呂赫若 (25)（1914 年～ 1951 年）臺中潭子人，臺中師範畢業後曾於公學校擔任教職，1940 年離開教職，隻身到日本學習聲樂，順利進入「東京寶塚劇團」演劇部，後因營養不良，罹患肺疾身體虛弱，1942 年由神戶搭乘最後一班輪船「富士丸」

呂赫若致力追逐理想，
即使在顛沛流離中，仍
高歌生命的價值。圖為
《呂赫若日記》書影。
（羅有隆／攝）

返臺，展開另一頁文學與音樂尋探生涯。他在 1942 年 7 月加
入《臺灣文學》編輯行列，並擔任「臺灣文藝家協會」小說部
理事。不論居住潭子或於 11 月下旬搬至士林，這段期間在他
日記中經常提及的，除了張文環、磯石老師、呂泉生、李石樵、
陳夏雨外；便是楊逵、巫永福、莊垂勝、張星建，他們經常相
約會面，活動地點便是中央書局。

　　那時，臺中的天空烏雲密布，聯軍的威脅環繞、睡臥須與
跳蚤蚊蟲纏鬥，街上常為防空演習而忙碌。呂赫若患有肺疾並

憂妻女纏病，內外並受煎熬，生活屢受磨難。對於未來，甚或自己仍然摸索、不確定能走多久的文藝，心底總有許多猶豫。而即便時局艱難窘迫，藝文活動仍然活絡。他和友人經常在「翼」午餐、在中央書局談天、看中國戲劇《山海關》……。他們在管制下寫稿，戰亂疾苦中，一顆顆文心相互扶持。多少次，他們相約中央書局，一起在大地茶房吃飯、舉行座談或講習。文藝讓人堅強，亦將人緊牽一塊。即便時局不靖，農民正為稻米搜查而提心吊膽，張星建策劃的音樂會仍然進行，文人

戰火延燒，日本招募志願兵的手也伸向了臺灣。圖為 1943 年志願兵許火旺入伍前與親友的紀念留影。（丁幸一／收藏，中央書局／提供）

情義織連的文藝網

相互鼓勵著創作。

那兩年呂赫若寫了短篇小說〈月夜〉、中篇小說〈雙喜〉、〈闔家平安〉，天矇未亮，1943 年 10 月 2 日全島防空演習，那一天陳夏雨舉行了婚禮，烽煙警報聲中的喜宴，是張星建作的媒。1943 年日本在臺招募志願兵的呼聲漸高，呂赫若覺得屈辱，他在生存夾縫中遊走，深切體會悲苦至極哭泣反而多餘，文藝是最佳出口，文化運動更是解救陷溺的必要繩索。周遭文人相護擁的真情讓他堅強，持續創作。

有了中央書局這真實場景，感覺歷史並不遙遠。那些書上記寫的名字，個個含帶著真性情。欣倫將書往下翻。

| 遠飛復返的蒲公英 |

洪炎秋 (26)（1899 年～ 1980 年）與莊垂勝同為鹿港人，於日治下度過童年，1918 年在東京接受中學教育，1923 年赴北京，繼承五四後知識分子啟蒙救國的使命。他曾為胡適、周作人的學生，擔任過《少年臺灣》編輯，努力向中國人介紹臺灣。1945 年自北京返臺，隔年獲聘為臺中師範校長，隨他前來的有多位講純粹北京話的老師。那時正好莊垂勝擔任臺中圖書館館長，大力推動文化講座及讀書會。圖書館辦的讀書會常請這些北京籍的教師參加，以純正國語朗讀書本報刊，增進民眾的國語能力，在文化交接過渡階段，具有相當的意義與貢獻。

洪炎秋一生頻頻面臨各種角色及文化認同上的窘境，卻能善用學經歷，成為紛亂時局的中流砥柱。他在二二八與白色恐怖肅殺年代，擔任《國語日報》社長，推行國語教學。儘管政局丕變，意識型態詭譎，洪炎秋對於臺灣人民智識及文化的關懷未曾改變。他筆耕不輟，對國語文、社會風氣以及人民智識的啟迪多所用心，處理嚴肅議題卻能幽默風趣，筆耕成為系列文章，經莊垂勝促成，於中央書局出版了《閒人閒話》、《廢人廢話》、《又來廢話》。《雲遊雜記》記錄旅美見聞，是另種開闊國人眼界的文化教育。

1947 年 4 月，臺中師範教職員歡送洪炎秋校長。（郭双富／提供）

鄉情愁苦，卻激勵人心；造化弄人，卻因此譜出動人篇章。風吹雲走，蒲公英遠飛復返，與原地種籽賣力長成耐看景致。

　　洪炎秋在 1966 年 1 月 7 日給林莊生（莊垂勝之子）的信中寫道：「先母是最愛我，也是我最愛的人；遂性兄和我是最知己的，我們彼此的缺點和優點，都知道得比誰都透徹。」

　　「這樣的情誼好是深刻！」欣倫撫觸書頁，凝視那泛黃的照片，於那可歌可泣情誼中，隱隱感覺著一股悲涼。

　　疾風當中總有勁草，局勢險峻，不容許人違抗，志士卻知如何蓄藏能量，持續履現理想。歷史洪流數度彎轉，因緣會集，洪炎秋和莊垂勝，於不平凡時代締結出深刻的同鄉情誼。

　　「可惜這些感人情景，大多被後人忽略了！」

　　「是啊，他們這樣愛戀家園，盡力捍衛祖國文化，而他們的努力似乎都被遺忘了！」

　　「臺灣的前輩作家真是孤獨！」

　　欣倫嘆了口氣，隨而樂觀說道：「也還好啦，只要我們重視他們的奉獻，並從他們的著作及人格操守獲得啟發，便不負他們真情燃燒的生命。小凱，你呢，在這群人裡，你對哪位印象較深？」

　　小凱搔抓了下頭，啊，憂患的時代，曲折的命運屢仆屢起，每個奮起生命形象俱皆飽滿，蘸著悲情，內含光采，感覺他們個個都是主角，即便化作粉塵，靈性仍然堅強。若要舉出一個

代表，他會推舉張深切，說著便自袋裡拿出厚厚的一本《張深切全集》。

| 堅持演出的《邱罔舍》 |

張深切（1904 年～ 1965 年）生於南投草屯，13 歲時負笈日本，1927 年考上廣州中山大學法政系，受魯迅影響成為文藝青年，積極參與民族運動。他曾和留學廣州的臺灣同學組織「臺灣革命青年團」，返臺募款，適巧遇著臺中一中發生學生罷課事件，他積極參與策動，因此被判二年徒刑。出獄後轉投入一向喜愛的戲劇活動，組織「臺灣演劇研究會」，卻因戲劇內容描述太多日治時期的社會黑暗面，被迫停演。

張深切《里程碑》書影。（羅有隆／翻攝）

「唉，處處遇挫卻不退縮，感覺上所有考驗與災難他都遇著了。」

「或許他渾身帶著反骨，遇不平就挺身而出，假如中央書局如巫永福所說是梁山泊，張深切絕對是其中一條硬漢！」

「新潮衝擊，當時文人既不自免於社會革新運動，對藝文的傳承更負有深重的使命感。張深切 1934 年號召八十多位作家齊集臺中，成立臺灣文藝聯盟，並被推舉為委員長，主編《臺灣文藝》。文聯在 1936 年分裂，楊逵退出，另創《臺灣新文學》。《臺灣文藝》於 8 月停刊，聯盟的活動日趨沉寂。

1939 年張深切任教北平藝術專科學校，主編《中國文

藝》，隨而轉任新民印書館。二次戰後返臺，於洪炎秋校長引薦下擔任臺中師範教務主任，為國語文及文化推動出力，與當時文化人時相來往，經常出入中央書局。」

「每波巨浪他都受著衝擊，卻仍無所畏懼地站在最前線！」

「文人意志堅過刀槍，而形勢比人強，一波未平一波又起，二二八事件爆發，牽連複雜，洪炎秋跟張深切去職，張深切更因被誣指協助謝雪紅推翻國民黨政府，開始逃亡生涯。」

「啊，入獄、逃亡，遭受屈辱與牽連，難道這就是當時文人的宿命？是亂世中藉以顯現存在的勳章？」

「之後呢？」

「市井密布網羅，郊野則多蛇虺，期待天晴，卻換來更深的黑暗。荊棘叢生，血路衝撞不開，張深切便匿藏南投中寮山著書，完成《我與我的思想》及《在廣東發動的臺灣革命運動史話》。他有本《孔子哲學評論》，因用新思維及批判精神來探討中國傳統思想，後來被查禁了！」

小凱搖了搖頭。「當時有太多讓人無法理解的禁忌。」

時代交接，舊牢籠未去，到處又有新埋的地雷，被壓抑或被炸傷，文人志士的生命因悽苦而豐富。

「悲劇和喜劇，樂觀與悲觀其實是一體兩面。張深切一如其名，對時局的投入及對自身信奉的美學極其堅持。他深信文藝可以鼓舞人心、啟發民眾。客觀環境無法從事政治運動，

便自然轉向文學活動。他於 1956 年成立『藝林電影公司』，撰寫幽默喜劇《邱罔舍》(27)，劇本雖然榮獲第一屆金馬獎最佳故事獎，而叫好卻不叫座，公司因此被拖垮。晚年在臺中市區開設純喫茶的古典咖啡沙龍，仍以不同方式實踐志趣。」

不同方式實踐志趣。」

「一次次衝撞、受傷，仍然堅持無悔，便是環繞中央書局這群人的特質。」

黃伯在一旁沉默許久，見年輕人對古早的事討論得這樣熱烈，感動之餘，興致也跟著來了。他站起身，帶領欣倫、小凱往火車站方向走，行至繼光街和臺灣大道口，黃伯指著其中說道：「這裡以前是臺中戲院 (28)，二二八事件時，是重要的歷史場景。」經黃伯這樣一說，欣倫當下覺得腳底燙熱，空氣裡膨脹著煙硝……

情義織連的文藝網

｜倉皇奔逃的油印機｜

大戰結束，臺灣光復，原本久旱所望的雲霓卻成了狂風暴雨。

1947 年 2 月 27 號下午六點，臺北市太平町天馬茶房廊下發生「查緝私菸事件」，全城引爆，臺中情勢也跟著緊張。3 月 1 日，楊逵與友人在中央書局成立了「輿論調查所」，本想印製意見調查卡，了解一般人對臺北事件的看法，碰巧在路上遇見鍾逸人。鍾逸人建議他將隔天臺中戲院原本就要舉辦的憲政演講會改為市民大會，直接訴諸民眾較有效率。兩人於是到白鴿堂列印傳單，連夜於市區及鄰近鄉鎮廣為散發，通知隔天早上八點將召開市民大會。那時風聲鶴唳，局勢緊繃，張煥珪、莊垂勝、何集璧、葉榮鐘、吳天賞等全集合在中央書局會商大計。動亂或和平、血腥衝撞還是隱忍退讓，中央書局成了指揮中心。靜夜裡，憂與怨竊竊私語，微弱火光，明滅著熾烈及晦暗的聯想。

次日，群眾紛紛湧進臺中戲院，人民協會控制了會場，謝雪紅被推為主席。楊逵一直待到市民大會順利召開才離開，心底卻明白局勢並不樂觀，當晚便寫了篇〈大捷之後〉，提醒民眾務必理性團結。而因內容太敏感，《和平日報》不敢刊登，楊逵在報社門外著急徘徊，恰巧又遇見鍾逸人經過，便商請報

社工務課長幫忙，以「號外」形式連夜印好 1,500 份。天未亮沿街叫賣，整座臺中城群情激憤。

市民大會召開後，二七部隊 (29) 成立，由鍾逸人 (30) 擔任隊長，號召臺中數百名青年與學生加入，包括臺中師專、臺中商專、臺中高農與臺中一中等校的師生，可說是當時全臺最具規模的武裝部隊。他們在臺中街頭與國民黨軍隊發生激烈槍戰，成功占領了臺中警察局、臺中放送局等單位。

楊翠《永不放棄：楊逵的抵抗、勞動與寫作》書影。（羅有隆／翻攝）

至此，楊逵對國民政府不再心存幻想，文字上便不再有任何顧忌。他於 3 月 8 號、9 號的《自由日報》及《和平日報》同時發表了〈二‧二七慘案真因──臺灣省民之哀訴一〉，控訴新政權暴行，表達對人民起義抗暴的支持。他一向反對武力抗爭，而今清楚和平無法換取自由，便決定和葉陶 (31) 喬裝成農民，潛至鄰近鄉鎮組訓農村青年，將之編成小組，向二七部隊報到。衝突持續蔓延，後來蔣介石派兵支援，二七部隊為不讓臺中市區成為戰場，便撤守埔里山區，終至潰敗。

那幾天，受波及者惶惶不安，風沙擊窗，坊間似藏陰影，追趕的腳步進逼，楊逵與葉陶被迫逃亡，隨身帶著中央書局的油印機，隨時準備號召群眾再戰。

二二八事件楊逵和葉陶雙雙被捕並判死刑，槍決前一天幸因「非軍人改由司法審判」命令，三個月後獲釋。走出死牢，重返文學場域，1948 年主編《力行報》新文藝版，力圖重振臺

灣文學，無意卻引發了文學論戰。1949 年初，國共鬥爭進入最後階段，政治氛圍更愈肅殺，之後「四六事件」發生，楊逵亦因〈和平宣言〉被捕。5 月 20 日臺灣進入戒嚴，1951 年，楊逵搭上貨船，成為第一批發配綠島的政治犯。

楊逵 1961 年出獄後，於東海大學附近買了塊荒地闢成「東海花園」，1970 年代末期，擔任《美麗島》雜誌顧問，不改堅持抗拒強權的精神，仍常出入中央書局。

欣倫感覺有些喘不過氣！一邊往回走，眼前浮現臺灣人倒臥血泊，壓住傷口忍著痛，倉皇奔走的情景。憤怒戰勝悲悽，人民欲要對天呐喊：「臺灣人到底做錯了什麼？」

遠望中央書局被鐵架包覆起來的厚牆，多重的歷史燈光映照，它越愈顯得特立不凡。

不凡時局造就特異之人，如此幽微繁複的史實，需有隻清明之眼作記錄，才能還原史實，讓後人清楚那些人那些事。而在林獻堂、莊垂勝身旁，正好有這樣一枝健筆。

欣倫直覺想到巫永福，他是記者出身，也常出入中央書局與文化界人有所接觸。而念頭一轉，隨即想到和莊垂勝關係更近的葉榮鐘。

| 半路出家的史筆 |

葉榮鐘 (32)（1900 年～ 1978 年）也是鹿港人，曾從莊垂勝

叔父莊士勳（前清舉人）習漢文，並與莊垂勝、洪炎秋一起創辦《鐘聲》雜誌。青年時代與莊垂勝分別受林獻堂資助赴日留學，返臺後皆在林獻堂麾下從事民族運動。同鄉且同志趣讓他們在往後人生經常同行，即便紛亂世局屢將他們沖散，潛藏意志仍將他們帶往相同流向，締結「親如手足」的情誼。

葉榮鐘自 1935 年開始報人生涯，曾任職《臺灣新民報》，蘆溝橋事變前，臺灣報章漢文版全面遭禁，他被轉調至日本擔任東京支社長。1943 年 2 月又被日本軍部強制徵召，赴菲律賓《大阪每日新聞》擔任特派員及馬尼拉新聞社《華僑日報》編輯次長。

大環境變動，個人命運如石子隨意被扔出，有的「噗通」直落水裡、有的於水面接連彈跳，劃出一起起彎弧。葉榮鐘屢受外調之苦，而禍福相倚，冥冥當中似有神護，讓他剛巧避開美軍轟炸，一次次從劫難中幸運逃脫。烽火之外，在異族語文強勢侵擾中，他也算是少數倖存者，不但能寫流暢中文，更具難得文筆，為他經歷的時代留下有力見證。

而大時代波瀾接連衝擊，陰霾籠罩，身心經常淋得一身濕，鬥士也有心力疲倦的時候。葉榮鐘旅居海外不勝思鄉殷切，曾有買山歸田的念頭，尤盼能跟摯友白頭相守，

與莊垂勝、洪炎秋一齊創辦雜誌的葉榮鐘，不僅和莊垂勝有同鄉情誼，更因志趣相投，讓彼此的文化生命更加豐碩。（郭双富／提供）

情義織連的文藝網

便積極籌款想要購買莊垂勝鄰近的山地，可惜地主不肯，事未成功。

1944 年葉榮鐘自馬尼拉返臺，當時臺灣包括《興南新聞》在內的三個報社，在總督府命令下合併為《臺灣新報》，委託《大阪每日新聞》經營。葉榮鐘擔任該報的文化部長，遷居臺北，仍與莊垂勝魚雁來往，或道近況、或抒感懷。二次大戰結束，國民政府未來之前，葉榮鐘便與陳炘、林獻堂共組「歡迎國民政府籌備會」，慎重準備各種歡迎事項：籌備歡迎會、指導民眾練習國歌、建造歡迎牌樓等，到處國旗飄揚，國歌歌譜便由中央書局印製。隔年他更參加丘念台發起的「臺灣光復致敬團」，隨侍林獻堂赴上海、南京、西安各地。之後莊垂勝擔任臺中圖書館館長，葉榮鐘則任其中的採編部長，兩人又再攜手，於文化流域奮進不已。

以為陽光露出，前景一片燦亮。孰知卻遇著更強烈漩渦！二二八事件，一干文人志士紛紛落馬，葉榮鐘轉入彰化銀行服務，至 1966 年退休。

葉榮鐘主筆《臺灣近代民族運動史》，相當具有史料價值。《半路出家集》、《小屋大車集》、《美國見聞錄》、《三友集》等隨筆陸續由中央書局出版，環繞其間的人情故事從中可見。

歷史如浪，波波起湧，規律緩和或者猛烈，瞬息萬變，離散親近，也將遙遠的人事沖在一塊。大陸與臺灣，一道海峽之

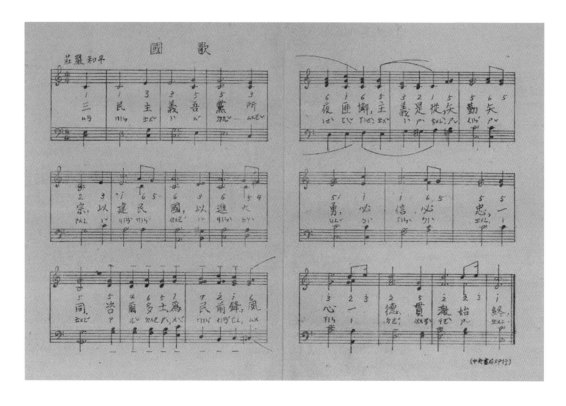

隔，似近卻遠，若說遙遠，彼此命運卻如氣候息息相關。氣壓連動，風暴蔓延，1949 年蔣介石自大陸撤退臺灣，文人與民眾、將領、士兵同陷泥淖，其中不乏才情卓越、學養豐富的學者。他們面臨急轉直下的歷史劇變，胸中自有深切的感發與憤怨。

滔滔洪流，寒流及烈焰侵襲，故鄉回不去，困處人生地不熟的島嶼，內心愁苦可以想見。漫漫長夜，中央書局的招牌雖然昏暗，裡頭彷若有光。大陸來臺的學者於是走了進去，與臺灣文人會合，共譜出特殊的時代交響曲。

至此，中央書局的存在又具另一層意義——為大陸與臺灣

臺灣光復，林獻堂等人共組「歡迎國民政府籌備會」，慎重歡迎之餘，也教唱國歌，歌譜交由中央書局印製。（國立清華大學圖書館／提供）

文人的歷史接點。

「唉，『轉蓬離本根，飄颻隨長風』（曹植〈雜詩〉），文人之心，志士胸懷，愴然若深！」

「小凱，你知道淪落的是哪些大陸文人嗎？」

小凱搖搖頭，轉頭看黃伯。

黃伯打了個呵欠：「今天累了，明天帶你們到東海大學。」

「東海大學？」欣倫看往大肚山方向，月如鉤，星光被街燈逐出雲外，整天搭乘時光機，在巨變潮浪中載沉載浮，還真有些疲倦了。

黃伯披著一身夜色，忽忽消失，彷如走進古書當中。行將再生的舊市區，於晚風中吐著沙粒，寒暖交替，光影輕撫著過往腳印。

那晚欣倫竟夢見了莊垂勝，醒來覺得莫名其妙，梳洗畢趕

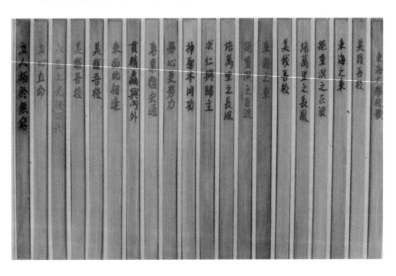

徐復觀任職東海大學，並作〈東海校歌〉歌詞。（羅有隆／翻攝）

緊衝往中央書局。

小凱一樣揹著相機。黃伯拄著手杖，一晚休憩，精神看來好了些！

聯結公車緩緩爬上大肚山，路邊高樓林立，黃伯指著窗外：「早期這裡一片荒蕪，房舍距離遙遠。山上秋冬風大，黃沙滾滾，人煙稀少。1950 年代，美國聯董會決定在臺灣創辦一所像大陸的燕京、金陵等級的基督教大學，最後選在臺中大肚山上。這可是件大事，1953 年 11 月 11 日，奠基動土典禮，當時的美國副總統尼克森還特別前來參加，到中央書局參觀並與文教人士座談。」

「哇，原來這有這樣一段歷史，中央書局當時果然是中部的文化重鎮！」

「不過我有一個疑問，校園明明在山上，為何要取名東

1953 年 11 月 11 日，東海大學奠基動土典禮，當時的美國副總統尼克森特別前來參加，並至中央書局參觀，與文教人士座談。（遠景編輯部／翻攝）

海？」

「當初其實也有很多其它考量，如叫玉山、海東、協和、聖保羅啦⋯⋯」

「後來，廣向教育文化界徵求意見，杭立武董事長以學校位於臺灣海峽東側，傾向用『海東』之名，經凌純聲先生建議，改為『東海』。」

公車逆著時光上行，行至高處左轉，進入一片林蔭。鳳凰木夾護路的兩邊，於頂上連結成綠色隧道，校園自然映現眼前。

「好一片清幽景致！」小凱拿起相機按下幾張。

「當年創校時全校只有兩百個學生，真可謂地廣人稀。」

欣倫和小凱陷入沉思，想像當時的荒涼情景。而換個角度來看，荒郊野地不正是沉潛做學問的絕佳環境？

「東海當年聘請了多位大學者，學風鼎盛，徐復觀便是很具指標性的人物。」

| 新儒學相結成知音 |

徐復觀[33]（1904年～1982年）於1949年5月避難至臺中，住定後便寫信給在南京認識的好友蔡培火。蔡培火不但即刻前來探望，且介紹莊垂勝與他認識。由於莊垂勝識見卓越且具肝膽，兩人情誼日篤。莊垂勝的好友漸和徐復觀也成知己，經常一起飲酒聚會，給予徐復觀生活、精神上極大關照。徐復觀於

徐復觀經蔡培火引介，結識莊垂勝，反思中國文化，將儒學內省，留下諸多學說著作。（羅有隆／翻攝）

情義織連的文藝網

是順利在臺中落腳生根，迅即融入臺灣這片土地。

徐復觀前半生在政治軍事漩渦中騰移起伏，半路才回歸學術研究。經過大陸經驗的慘痛教訓，讓他重新思考各種問題，發現從前不太願意接觸的中國文化，尤其是儒家思想，對當前時事頗具啟發性，便在思考行文當中經常提及。這些思維引起莊垂勝很大的共鳴，莊垂勝因此理解之前部分五四文人認定「中國文化為專制政治幫凶」的說法實不可信。

歷史流變，有人視中國文化為水火猛獸、有人視之為磐石。莊垂勝感慨日治時期中國文化被視為禁忌，即便內心嚮往卻只能隱忍；好不容易等到光復，以為重回母親懷抱的欣喜，卻換來中國文化已經落伍的宣判，這種失落感比被異族打壓還要沉痛。

徐復觀認定不論時代如何轉換，前人總有真知灼見留供後人作為思想著力點。於是便賦予舊傳統新的解讀，試圖在迷亂中尋找出路。他清楚自己所要鑽研宣揚的絕非「沉溺於書齋的冷學術」，而是介於「學術與政治之間」、具有時代性的學問。

莊垂勝、徐復觀兩人都懷抱以文化救國的信念，且先後自中國文化內涵獲致莫大樂趣，便於現實友誼外，多了層尚友古人智慧的喜悅。

當學術界一片求科學、求民主，以擊倒傳統文化為進步的聲浪中，徐復觀的新儒學主張自然受到嚴厲撻伐。他在悲憫無

【右頁圖】東海大學創辦後，聘請名家學者擔任教授。圖為曾約農校長於 1955 年敦聘徐復觀的臨時聘書。（羅有隆／翻攝）

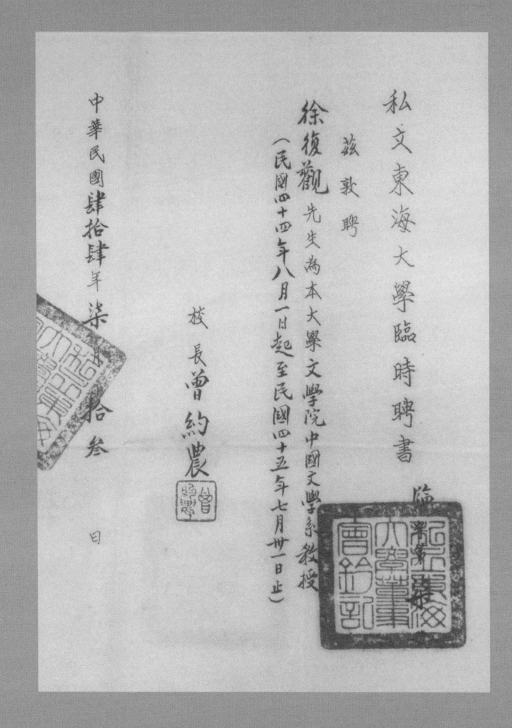

私立東海大學臨時聘書

茲敦聘

徐復觀先生為本大學文學院中國文學系教授

（民國四十四年八月一日起至民國四十五年七月卅一日止）

校長曾約農

中華民國肆拾肆年柒月拾叁

日

情義織連的文藝網

奈之際，未料竟於他鄉遇著莊垂勝這般深摯的知音。徐復觀曾經說過：「在社會上，能屹立不搖，深信不疑，一貫地以自己的精神、人格來支持我的，只有這位莊遂性先生。」

你自遠方來，我生長於斯土，於歷史轉繞中，莊徐兩人深相契合。莊垂勝對文化的宣揚一向具有使命感，便向徐復觀提及願以過去為創辦中央書局而到各地演講的方式，展開另一中國文化運動。徐復觀以時局已然改換，容易引起誤會而不贊成。莊垂勝又提出請他主編一套足以代表中國文化精神並可資一般人教養的叢書，徐復觀又因忙碌無暇，且擔心中央書局虧本而作罷。

後來莊垂勝罹患肺癌，徐復觀二次前去醫院探望，當時莊垂勝喉間有痰，神智雖然清楚卻無法言語。徐復觀握著他的手，感覺他的手仍有力量，便語重心長對莊說：「我們都是以自己生命的全力，愛護祖國文化的人。你常常著急祖國文化會有一天歸於絕滅；我認為只要我們民族存在一天，乃至只要人類存在一天，祖國的文化，便不會絕滅。祖國的文化存在，也等於我們生命的存在。所以你可以安心無所掛念的。」

莊垂勝眼中的掙扎於是漸地定靜。

唉，這是什麼樣的時代與情誼！

| 新交酬唱傳統詩 |

孫克寬（1905 年～ 1993 年）為孫立人將軍 [34] 的姪兒，

早年習法律，壯年出入公職，曾經擔任縣長。45 歲來臺，東海創立時應邀擔任詩選等課程，與徐復觀、戴君仁、孔德成成為莫逆之交。曾親眼目睹大陸時期國民黨的腐化、國會選舉醜態及來臺後軍人派系的傾軋鬥爭。一連串的晦暗政局讓他寒心，於是拋棄政、法本業，對元史發生興趣，轉以「文化書寫」取代早年投身政治的努力。早期著作以「大亂時漢人士大夫的生存與漢學延續」為中心，試圖於歷史洪流中，惕勵民族存亡的危機意識。

因為徐復觀的關係，孫克寬認識了張煥珪、葉榮鐘、林培英、藍運登等臺籍民運人士。彼此儘管出身背景不同，對時局及漢文化的關心卻無差異。天下興亡，匹夫有責，大山大海交會丘壑淺灘，於此歷史節點知心，驀地發現，今古文人，不分朝代與

1964 年孫克寬教授與東海大學中文系第六屆畢業學生合影。（引自《孫克寬教授紀念專輯》）

情義織連的文藝網

孫克寬《山居集》書影。
（羅有隆／翻攝）

省籍，竟有著類似的情懷與遭遇。

孫克寬熟諳古典詩詞，來臺後常藉吟詠抒發感觸。當時大陸來的人士，擅長賦詩者多，如于右任 (35)、張君默、溥心畬、臺靜農等，便和臺灣的本土詩人如林幼春、陳逢源、霧峰林家、櫟詩社酬唱，造成文學史上古典詩詞創作的最後一波熱潮。

孫克寬善飲酒、好交友、旅遊，勤於撰述與講學，1960年陸續撰文敘述人間苦樂。他曾經說：「天下最苦者，莫過於哀樂非真，隨人啼笑」，主張人當秉持陶淵明〈形影神〉一詩中「縱浪大化中，不喜亦不懼」的精神，「不貪執、不幻滅」，認為人無論病死，兵死，等亦死，死生既不能改變，何須憂懼？他於是放下個人榮辱富貴，盡一己本分，以校為家，視學生如親人，溫暖化育莘莘學子。

《山居集》書寫大肚山生活感懷，1968年由中央書局出版。

綠樹成林，涼蔭後世，車出校園右轉，眼前的高樓後退，荒煙蔓草重現，當年這可是通往繁華市區唯一的路，而路上最亮眼的招牌，便是中央書局。

車沿斜坡漸往山下，路上新興樓房崢嶸起伏，高速公路橫互，迴路彎轉，車潮通往各方，直行車走走停停。

「這樣重要的一家書局，為何會歇業？」欣倫與小凱內心

【右頁圖】孫克寬教授書於 1971 年底離臺之前。（引自《孫克寬教授紀念專輯》）

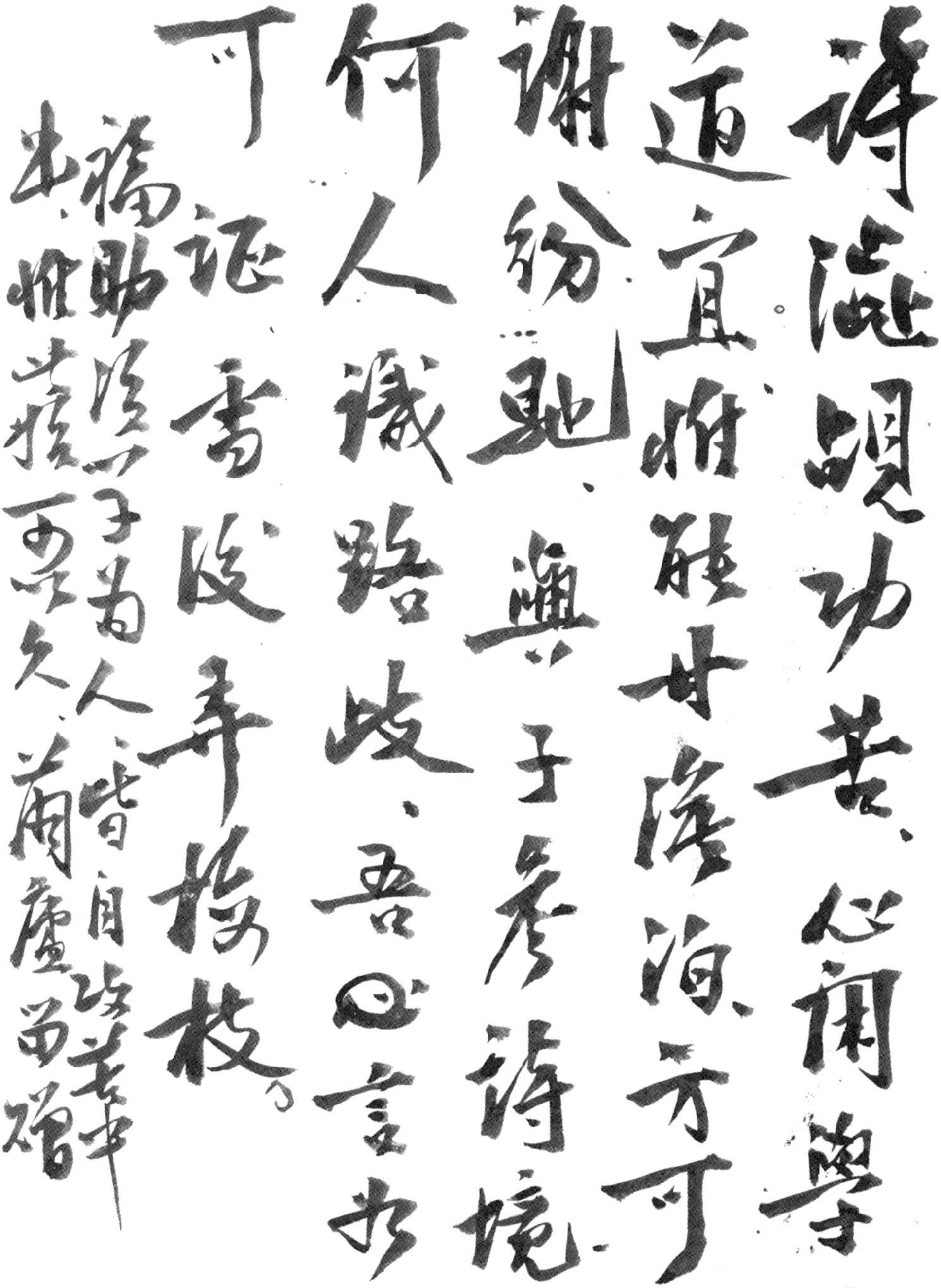

詩瀝嘔功苦、心用學

道宜師眾彿海方可

謝紛馳、與于參詩境

何人識路歧、吾心言矣

可証雪後手拈枝。

此為朋隨子為人皆目诸若串出难猜再永久兩塵品增

不禁疑問。

車回舊城區，穿過中華路、三民路、平等街，一條條街名映入眼簾，房樓空著或重新翻修，人煙於幾個定點集會，新潮遠去，懷舊者於街坊找尋已逝塵埃。

黃伯拄著手杖步下公車，欣倫與小凱跟著。

施工中的中央書局似裹著紗布的巨獸，一身傷痕何時將恢復風采？

「今天累了，回去吧！」

欣倫與小凱立著不動，想問「何時再見」又不好意思開口，心中仍有滿滿的疑問，卻只能看著黃伯消失於路的盡頭。

「接下來怎辦？」算一算作業繳交的期限又迫近了些，欣倫心底不覺緊張起來！回去後將《臺灣人物群像》、《礫石文集》翻了又翻，趴在書堆當中便睡著了，夢中似有戰火與煙硝，有人拍桌握拳、有人嘆息沉默……

隔天睜開眼見陽光明亮，一股鬥志油然生出，努力勢將繼續。

「中央書局是理想的履現，為何會經營不善而倒閉？」

「張耀錡經營最久，且是在他手上結束營業，他應該最清楚！」

「可惜他去年過世了……」

「那要問誰呢？」

「找楊翠老師，或許她知道？」

「你是說她阿公楊逵有告訴她嗎？」

「也不確定啦，但總可以試試嘛！」

車往通霄，空氣含帶著海潮氣息，一根根風力發電扇葉轉動，似將逆轉氣流，拉回過往雲彩。小凱將此景拍下，欣倫心雖不定，卻隱然有著漸增的動能。

楊翠老師果然認真熱心，一本《消失的文化城堡──中央書局 70 載》便借給他們。

那是她的學生於 2008 年做的專題，分別訪談了陳千武、張耀錡、賴淡、趙天儀等人，近十年歲月，人事已非，其中多已成為絕響。欣倫抱著這本報告感覺如獲至寶，似吃了顆定心丸，而對於老成凋謝不免悵然。

「小凱，你不覺得有些文史保存工作不快點做，可能就來不及了！」

小凱嗯了一聲，深表認同。

欣倫細讀其中每個章節字句。線索自此展開，中央書局後期的事跡如拼圖一片片拼湊起來。

中央書局的營運與出版

翻動書頁,唱片轉動起來,日、漢文於時局遞嬗中消長,現實與理想如何兼顧?
文化傳遞如何維持高尚風格?於烽煙緊張中搭建起的文化城堡,終究不敵新潮衝
擊,黯然歇業。曾經刊刻的書籍、曾經喧鬧暖熱的人情,仍被記憶傳誦著⋯⋯

| 走出虧損，務實力拚經濟 |

「維持一家書局確實不易，尤其像中央書局這樣具理想的書局。」

「妳是說中央書局的虧損是命中註定？」

「或許可以這樣說吧。」不以營利為目的的開業宗旨，加上文人本不善於經商，中央俱樂部創立不到幾年，便有解散之議。之後雖然勉強持續，財務狀況始終不好，張星建、張煥珪、莊垂勝、林清泉、林雲龍等曾多次至霧峰林家商請金援。

日治時代經商須與日本人競爭，中央書局想爭取一筆生意，必須靠文協人士介紹，想和日本機關做生意根本不可能。到了二戰末期，不論上海或日本的書都變少，紙質也差，書的來源問題重重。日治時期中央書局主賣日文書，光復後正好倒反過來，英、日文書銳減，上海來的書多，日文書須經政府檢查才能進口。中央書局因具規模，被允許銷售日文書，從臺北的大新、日新、鴻儒堂進書。戰後物價飛漲，紙張缺乏，印刷工作不興，書籍自然也變少了。

「時勢所趨，公司虧損有時非戰之罪！」欣倫忍不住要替中央書局叫屈。

中央書局還有一位重要的經理人是丁顯泉，他鹿港公學校畢業便被莊垂勝延攬進中央書局，17 歲被派至日本大阪學習書

【上圖】丁顯泉（右）
對於中央書局而言，是
一位重要的經理人，為
了振興中央書局的營運
狀況，盡心盡力。（丁
幸一／收藏，中央書局
／提供）

【下圖】丁顯泉負責中
央書局南臺中分店時，
其夫人施端莊與女兒丁
純綿於店前合影。（丁
幸一／收藏，中央書局
／提供）

張耀東常務董事。（張光進／提供）

店經營，曾至早稻田大學進修，刻苦勤學，返臺後回到中央書局，1949年～1951年間，負責南臺中分店（位於復興路與臺中路交叉口）業務。之後離開中央書局，二二八後張星建被殺，莊垂勝再次將他召回，擔任中央書局的業務主任。他力圖振興營運狀況，還曾舉辦摸彩，以腳踏車當獎品。

另外，張耀東擔任常務董事期間，為要擴大出版事業，構想設一印刷廠，而當時中央書局並無資金，便由張家獨資興建了光文社。由張耀星任社長，主要替臺灣人辦的報紙免費印刷。可惜蓋好一年，便受鄰近軍營火災波及而燒毀。

中央書局還有個組長叫張俊傑，日治時曾在滿洲國擔任縣長，精通日文，人脈廣闊，替中央書局爭取到中學教科書的代理權。

當時大宗書的生意仍由政府管控，許多版本的教科書如國文、公民等皆由臺灣書店出版，屬於獨家壟斷且具公定價格利潤極少。由於教科書的銷售時間多集中在學期初，中央書局於

是先將書單發出，讓各校預約用書，並在上學期末先收書款，屆時再多退少補。如5至6月收書款，9月發書，這筆錢便有三個月可作周轉。那時銀行利率高，中央書局實際賺的往往是利息不是書價。

張家興辦光文社，為臺人的報紙免費提供印刷服務，期盼能讓知識普及，可惜後來遭受祝融波及。圖為火災後的光文社。（張光進／提供）

教科書為主要收入，亦耗費最多人力，除了員工總動員，也四處招募臨時工。

「中央書局要發送教科書了！」消息一出眾人聚集，不但有酬勞，還供應臺中最有名的大三元便當，開學前總有一陣熱

鬧忙碌。當時中央書局的供書範圍遍及南投、大甲及豐原，員工常有夜宿校區的情形。

而更特別的是倘若遇著物價飛漲時期，貨幣貶值厲害，往往須用麻布袋將錢一袋袋運到臺北，至臺灣書店交換教科書回臺中分發給各校。可惜後來各校陸續自行向臺北進書，當年的盛況便不復見。

| 正派經營，中部的文化重鎮 |

臺中戰後還有很多書局，像文化書局、力行書局、大同書局（主賣中小學教科書、參考書）、昌明書局、瑞成書局（出版臺灣民間東西）、加上日本人留下來的舊書店至少十幾家，而當時來臺中的人，還是先到中央書局。因為中央書局一直是家有格調的書局，除了書籍種類多，在日治時代便進口中國唱片，曾為中國勝利（Vitor）及高亭唱片的總代理。至於歌仔冊

那種較通俗的書，中央書局不賣。政府禁止的書，如色情及內容有問題者也不考慮。

當時一般書籍利潤雖好，銷售卻不穩定。張耀錡曾以高價購

中央書局多角化經營，連美國勝利唱機公司所發行的原音唱片也有代理。書局引進各式各樣的休閒娛樂，讓臺灣人的生活得以多采多姿。（林良哲／提供）

入一套成文出版社出版的《仁壽本二十六史》（《二十五史》加上清史），擺放多年都賣不出去，不知虧損多少利息錢。直到有天一老先生將它買走，大家總算鬆了一口氣。唉，賣書不易，一本本新書上架，充實精美表象下其實隱藏許多艱難。

中央書局還有一個特點——早在財政廳尚未實施「臺灣省營利事業統一發票辦法」前，中央書局每筆收入必開發票，上面還貼有印花稅票。當時一般書店很少如此，中央書局卻做到了。

【左圖】中央書局販售勝利唱片的廣告。（林良哲／提供）

【右圖】貼有印花的統一發票。開立發票在過去並不常見，中央書局呈現規矩的文人性格，不但每筆收入必開發票，更鄭重其事地貼上印花稅票。（中央書局／收藏，羅有隆／翻攝）

在中央書局服務的員工，始終敬業地服務前來書局尋找知識的人們。圖為中央書局全體員工於 1951 年的合影。（林豐祥／提供）

中央書局早上九點開門到晚上十點，一天營業十三小時，假日照常營業，員工只能輪休且常義務加班。

當時的知識分子或識字之人，南來北往，遠從新竹、苗栗或臺南，中央書局為眾人必遊之地。各類人出入，有常守於架前看免費書的讀者、有進來遊逛的路人、也有相約於此碰面的文青，據說李敖還曾穿著長袍出現，林懷民也喜歡來這兒閱讀小說。假日常見著軍裝的現役軍人，立於架前捧著書，神情微笑，目光愉悅充實。

「這麼重要又門庭若市，怎麼會倒閉呢？欣倫，妳倒是說

說看啊！」小凱想不通，真的有些急了。

「你看啊，張耀錡這一頁有說嘛：看書的人多買書少，光靠零售實難撐持。之前亦曾考慮於新竹開設分店，經市場調查分析作罷。」

「欣倫，妳不覺得我們應該找更多人來問問看，最好是曾在那裡工作的員工，多些人的記憶應該會更清楚。」

「可是要去哪裡找人呢？」

「找中區再生基地的蘇睿弼老師幫忙啊，上回他們有召集中央書局員工回娘家，也許可從那裡得到一些線索。」

「是啊，我們可以上網、翻舊報紙、打電話、借錄音檔……，看能有什麼發現。」

感念中央書局的人很多，相關記憶正在會集，加進其中，總可釐清、證實一些事。過程彷如偵探蒐集線索，欣倫、小凱不覺樂在其中。

天助自助者、還是有志竟成，點線連面，條條記憶與傳聞陸續拼合起來──辛苦、窘迫，歡鬧中夾雜溫馨，氣惱酸澀之餘又有些甘甜……

已逝的歲月、老去的員工或家屬，說起當年書局的種種，神情便就眉飛色舞起來──

原來中央書局曾是《國語日報》及《中國郵報》（*China Post*）的發配所，再由送報生分送各處。賴清元 1961 年讀初中

時便在中央書局打工，跟著眾人大清早於一綑綑書報中忙碌，解繩、核對、彎腰、跪地，奮力將整堆訊息扛舉起來……，印象深刻的是大雨來時，報紙往往被雨濺濕，倉皇中，中央書局的員工總幫忙用熨斗將報紙熨乾，試圖保住將被水暈開的字跡，那景象即便經過數十年猶然歷歷在目。

美軍駐守清泉崗時期（1958 年～ 1979 年），美軍所需的文具皆由中央書局供應。當時臺灣的英文書多是盜版，《韋氏大辭典》及《大英百科全書》銷售最好。大學原文書由臺北的書店印行，中部多由中央書局代購。至於英文雜誌則以 *Play Boy*《花花公子》及 *Reader's Digest*《讀者文摘》銷售最多。日文書開放後，《裝苑》及《婦人俱樂部》雜誌最受歡迎。

那時中華書局的《辭海》及商務印書館《王雲五大辭典》熱銷，中央書局與鄰近書店便展開了價格戰，你標出 200，我便降為 198；你降為 190，我便下殺為 185；書店最搶眼的位子，風風火火進行著。

其它銷售較好的書，如由林黛主演，以沈從文小說《邊城》改編的電影《翠翠》，劇中插曲〈熱烘烘的太陽〉(36) 相當膾炙人口，《翠翠歌選》便極熱銷，一天可賣數十本；另外，《皇冠雜誌》、瓊瑤小說及三毛撒哈拉沙漠系列、蔣介石的《蘇俄在中國》及吳濁流 (37) 的《亞細亞的孤兒》也很暢銷。

楊逵觸怒政府，相關書籍成為禁忌，之後門市試將《鵝媽

媽出嫁》、《壓不扁的玫瑰》、《綠島家書》及林梵的《楊逵畫像》擺出來，經常供不應求。

| 街角溫情，臥虎藏龍的書城 |

「小凱，你知道嗎？據說中央書局的書失竊嚴重，當時坊間盛傳，想要什麼書，到中央書局拿就有了。」

「怎會這樣！難道沒有辦法可以改善或預防嗎？」

原來中央書局一樓早先兩個門皆可自由出入，顧客挾帶書籍或文具不必經過收銀臺，輕易便可離開。雅賊囂張，員工於書架間巡查，蹲下來看往另一排書架，經常可以見著偷書賊正將書放入袋子或挾進衣內。

員工見此頗為光火，又不好逮個正著，惡言傷害愛書人的顏面。林豐祥熟知各類書的擺放位置，由架上空缺便知少了哪些書，於是預先開好發票等在門口，讓偷書人啞口無言，驚異之餘只能掏出錢來，購買收場。

偷書人也有其情堪憐者，曾有常來看書的國中生順手拿走教科書，林豐祥尾隨其後一看究竟，發現原來這愛書的孩子家境窮困，便自掏腰包，連續好幾學期送他整套的教科書。

「很多人對中央書局印象最深的是，那裡的女店員都長得很正，這——是真的嗎？」小凱忍不住好奇。

欣倫看了小凱一眼，不知道他在想什麼。

1950 年代後期，中央書局業務處於全盛期，員工（含臨時工）最多時達五、六十人。那時進中央書局工作並不容易，且具相當的榮耀感。職員裡面不乏具才藝及外貌俊秀者，早期女店員多似金馬號小姐、也有許多歌喉絕佳的小白光，為中央書局增添另一份吸引力。林素幸於 1964 年於倫敦世界小姐選拔獲得第三名，林豐祥具有攝影專長，會計陳景陽喜作畫，劉陽現任至陽塑膠董事長、黃明芳日後於逢甲大學附近開書店。

　　書局待遇好福利佳，定期有員工旅遊，子女教育享有津貼，且於男女尚未平權的時代，便極尊重女性，拍攝團體照必讓女生坐前排。平常大家各分部門，遇事相互支援，最快樂的是輪流在頂樓餐廳用餐。男員工有的必須留宿，同食共寢，彷如一個大家庭。眾人情緣於此交會，叢書文具當中有許多日日相處的情節——黃榮品副理操著鹿港腔，經常樓上樓下到處巡，是員工最敬畏的主管。愛美女同仁指甲老修得精美且上豔彩，包書時翹起尾指，被黃副理瞧見了，當場下令員工以後不可再塗指甲油。另外，有門市店員趁無人注意時偷看書，冷不防被黃副理自後頭將書抽走，驚嚇得臉色發青，書頁情節跌落一地。

　　提振精神，不可偷懶，黃副理扮黑臉，防範任何可能藏汙納垢的死角。而看似嚴厲的外表下，實藏暖熱愛心，他極替員工謀福利，廢紙回收盈餘用來購買進口鍋，贈予員工當作中秋節禮物、端午節訂臺中金豆或臺南馳名肉粽、熱天則買凍凍果

秉持禮讓與尊重女性的態度，中央書局在員工旅遊合影時，總讓女性員工優先。（林豐祥／提供）

中央書局的營運與出版

讓大家解渴。

晨間有會報，嚴肅一天的開場，一樓、二樓門市各有風格，樓梯間、轉角處得見各種巧妙布置。書城熱鬧或清冷，寒暑易節，春風拂過，也曾締結多對佳偶。

談起這些，即便經過數十年，老員工嘴角仍含笑意。而在書局外頭，也有動人情節。

中央書局位於鬧區角間，人來人往，騎樓間也有商機。一家境清寒的小販長期在那裡擺攤賣香菸，中央書局從不驅趕也不收租金，小販感念恩情，便主動幫忙清理環境，隨時將騎樓前的車輛排放整齊。

另外，騎樓廊柱間常有賣雞蛋糕的小販棲停，一婦人帶著幼兒，忙將蛋奶麵糊傾入一格格烤盤。炭火於鐵盤底下加熱，婦人學著如何控制火候，適時翻轉，務使每團麵糊受熱均勻，金黃鬆軟的蛋糕才能換來生意。婦人名叫賴瓊雲，家住附近，兒時便常到中央書局看布告欄上張貼的《國語日報》，從拼讀注音到認識一個個國字，父親在對街賣雞蛋糕，中央書局有她熟悉的氣味及成長軌跡。

之後賴瓊雲嫁到斗六，幾年後舉家遷回臺中，在父親幫忙下也做起雞蛋糕生意。不好意思和父親搶生意，便將攤位停在中央書局前面。攤位旁放著學步車，幼兒自襁褓、學步到入學，十四、五年便過了。賴瓊雲說中央書局的員工極為和善，不曾

賴瓊雲的三個子女在書香與蛋糕香中成長。圖為 1995 年在中央書局的市府路門市前合影。（賴瓊雲／提供）

給臉色或趕過他們。在她生命跌落谷底時，中央書局是她棲息的港灣。三個孩子的童年皆在中央書局度過，放學後蹲在攤位旁寫功課，於鄰近 YAMAHA 學音樂，便在中央書局買樂器喔喔吹著。直笛聲串連，日影於騎樓間移行，一顆顆雞蛋糕為路人解饞，暖熱、慰藉許多飢餓腸胃。甜馨蛋糕氣息融合書香，深植於過往之人的記憶。

賴瓊雲的孩子常進到中央書局，讀著童話、成長小說及各種哲理書，讀著讀著，最小女兒已從臺大研究所畢業，在臺北工作。

城門雞蛋糕仍於十字路間飄香，賴瓊雲的父親年邁退休，現由她弟弟賴東松接替。仍然堅守不加發粉，避免過敏的傳統做法，口味造型則有創新。

中央書局的營運與出版

當年纏綁學步車的柱子仍然挺立，賴瓊雲對中央書局有著恆永感念。

「這情節好感人啊！」欣倫與小凱嘴裡嚼著雞蛋糕，品味著溫暖人情。

| 生存大戰，違禁與暢銷書風雲 |

中央書局除了賣書，也出版過一些書，但因涉及思想，出版比賣書更困難。日治時期，除須以日文出版，還得思想正確，符合政府獎勵的政策。

1950 年代開始，中央書局重啟出版業務，出版了《英語單字簡易研究法》、《總統言行錄》，後來並設立出版委員會。

光復初期，臺灣文人能以中文寫作者極少，大陸來的文人著述的也不多，出版界不甚活絡。莊垂勝便請洪炎秋將十幾篇雜文，由中央書局於 1947 年出了本《閒人閒話》，一次印出兩千本，以為憑洪炎秋幽默的筆調及充實內容，理當可以暢銷，未料才剛賣出三、四百本，便接到當局來電，指說該書內容欠妥當，必須立刻停售，剩餘的一千多冊書只好銷毀。獲利未成反而惹禍，洪炎秋於是引朱熹「莫言閒話是閒話，往往事從閒話來」自我調侃。

十六年後（1963 年）蕭孟能 (38) 籌出「文星叢書」，想翻印《閒人閒話》，前來徵詢中央書局的同意。張耀錡不願讓出

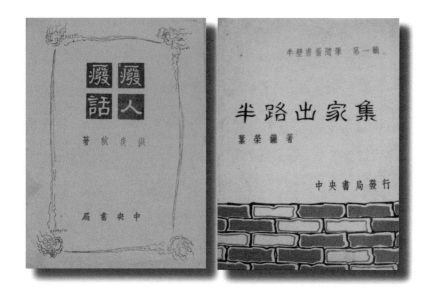

【左圖】《廢人廢話》
書影。（林景淵／收藏，
羅有隆／翻攝）

【右圖】葉榮鐘的雜文
集《半路出家集》書影。
（林景淵／收藏，羅有
隆／翻攝）

版權，提議抽除原書具爭議者，另增幾篇具史料價值的文章，
依時間先後編成《廢人廢話》。《閒人閒話》這本禁書便藉《廢
人廢話》還魂，於 1964 年重新問世。洪炎秋並於序文引教育
部所編的《國語辭典》解釋：「廢人」指殘廢、無用之人；「廢
話」指多言無補的「費話」，謙言自己完全符合書名。出版時
因洪炎秋在書帶上寫了「李敖狗嘴吐不出象牙」，致令李敖怒
告中央書局。

　　兩年後續出《又來廢話》。

　　出了洪炎秋的《廢人廢話》後，張耀錡邀請葉榮鐘也來共
襄盛舉，於是在 1965 年 1 月出了《半路出家集》，為「半壁
書齋隨筆」第一輯，書名之所以取為「半路出家」，據葉榮鐘
於自序文中所言：

像我們這樣年紀的人，生於割臺以後，所受的全是日本教育，半生耳濡目染，盡是日本式的漢文。滿腦袋落伍思想，一肚皮不合時宜，猝然碰到光復，手忙腳亂，應付無方，其不焦頭爛額者幾希。俗人半途改行做和尚，叫做「半路出家」，一向習慣於寫日文的人，一旦改寫國文，情形也是一樣，所以我就把這本雜文集，取名《半路出家集》。

充分說明殖民地文人，在語言學習、表達所遭遇的困境。此書屬雜文集，舉凡生活雜感、社會觀察、讀書經驗、公眾議題皆入文章。談民主精神、環境與公德心，也談故鄉鹿港的點心，從中可見葉榮鐘的學養和品味。另外，〈一段暴風雨時期的生活記錄〉記寫抗戰前至日本偷襲珍珠港發動大東亞戰爭期間（約 1936 年～ 1941 年），臺灣人在生死邊緣掙扎，「無地可容人痛哭，有時須忍淚歡呼」的矛盾與痛苦，相當具有史料價值。

「半壁書齋隨筆」第

葉榮鐘《小屋大車集》書影。處於光復前後的文人，將所遇的社會現況以幽默的方式敘述成書。（羅有隆／翻攝）

二輯《小屋大車集》於 1967 年 3 月出版，此書成於葉榮鐘自
銀行退休後賣掉寬敞房子，改住面積僅半的窄房；之前公家配
給的三輪車也被收回，改搭公車上街，正應合光復後臺灣社會
流行的一句俗話：「房子越住越小，車子越坐越大」窘境。葉
榮鐘將無奈化為苦笑，別有舉重若輕的幽默感。〈臺灣省光復
前後的回憶〉寫他的親身經歷，是另一篇歷史見證文章。書封
由張耀錡設計。

　　1956 年 8 月中央書局出版徐復觀的《學術與政治之間 ·
甲集》，隔年即再版；同年增補徐復觀其它相關文章，印行《學
術與政治之間 · 乙集》。這兩本文集收錄徐復觀赴臺前後的
時事評論和學術隨筆。由於他早年文筆辛辣，書一出版，曾引

徐復觀《學術與政治之
間》甲集、乙集書影。
（羅有隆／翻攝）

起許多迴響和爭議，其中〈我所了解的蔣總統的一面〉還引起蔣介石的重視。

甲乙集問世後，徐復觀發表了〈從文學史觀點及學詩方法試譯杜甫戲為六絕句〉一文，引起一些文士不滿，因而嫁禍於甲、乙集，甚至牽連出國民黨棍試圖興文字獄迫害徐復觀，徐氏因此離臺赴港的說法。

1976 年馮耀明將甲乙集重新校閱合成香港版。1980 年再由臺灣學生書局重新排印。

施翠峰的《風土與生活》，頗受讀者歡迎，隔年他翻譯井上靖的《漩渦》，亦由中央書局出版。

書的出版必須審慎，一不小心可能會惹禍上身。張深切《黑色的太陽》（即《里程碑》）本希望由中央書局出版，一

【左圖】施翠峰《風土與生活》書影。（中央書局／收藏，羅有隆／翻攝）

【右圖】中央書局出版之《漩渦》，由施翠峰翻譯。（中央書局／收藏，羅有隆／翻攝）

來因當時中央書局以出版參考書為主，且因書中敘述了一些大陸臺灣人（如後來被槍斃的李友邦）的情形，內容敏感怕有爭議，張耀錡徵求張煥珪的意見，決定不出版。

中央書局於 1960 年代出版許多參考書，高中代數全臺有名。陳明哲的《分解因式》、《或然率》、《高等代數學》、《邏輯與集合》等相當具口碑；曾國威的《心理學》為考試用書也賣得好。

「小凱，這樣聽來，中央書局是有生存之道的，為什麼會歇業呢？」欣倫仍然不解。

走在舊城區，感覺每道關下的鐵門都有故事——曾

中央書局出版的教科書相當受到歡迎，常有學校訂購。圖為《心理學》、《排列與組合》、《古代數學史趣談》等書影。（中央書局／收藏，羅有隆／翻攝）

陳明哲所編著的數學叢書書影。（中央書局／收藏，羅有隆／翻攝）

有的榮景何以遠去？為何留不住輝煌時代？

　　兩人沉默，不想說出的理由，實已呈現眼前。

｜ 新潮衝擊，老書局的末日悲歌 ｜

　　1983 年第一家金石堂在臺北市汀州街設立，開啟了臺灣「連鎖書店」新頁，連鎖實體書店縱橫，給予傳統書店莫大衝擊；1995 年博客來網路書店創立，書的銷售更打破倉儲和地域限制。

　　中央書局經營保守，未能與時俱進，接上電腦科技化的社會脈動。據會計陳景陽的親身感受，中央書局採人腦編目，效率不高；傳統的會計帳目繁瑣且具漏洞，每當稅捐稽查時常遭詬病；加上建築老舊，不符新進對防火防災的要求。外力加上內部叢生的問題，中央書局終究難以支撐下去。有人建議搬至平等街及民族路附近，而月租二十幾萬，且怕地點不夠好營運不易，對股東難以交代，便於原地繼續苦撐，疲乏之態日益明顯。

　　中央書局是臺中所以被稱為「文化城」的重要標記，眼見它隨整個中區一起衰退，甚至傳出即將歇業，讓很多人看了不忍心。黃國書在 1997 年擔任市議員時見中央書局沒落，經過時總忍不住進去看看，並主動拜訪張耀錡，提出：「中央書局是否可能不要關門？可否轉型或號召其他力量來救援？」

張耀錡搖了搖頭，露出無奈表情說：「中區沒落，中央書局很難經營，股東會已做出關門決議。」

黃國書仍不死心，試想尋求公部門力量幫忙，便於議會中提出。那時既無文資法亦無文化局，建築物保存也只附屬於民政局底下的禮俗文獻課，由於中央書局為私人產權，政府無相關法規可以收購。對此重要文化資產的存廢，政府無能為力。

儘管不捨卻愛莫能助，只能眼睜睜看它被賣出。歇業消息一出，員工難過，許多中央書局的老顧客亦無法接受。店內的書能退則退，剩餘的便於半年前開始結業拍賣。

中央書局便在各界惋惜聲中關門，歇業後連同房子一起變賣，有很長的一段時間賣安全帽，讓人不勝唏噓。十幾年前，黃國書又向胡志強市長提出，並致電屋主，詢問可否與政府合作，讓此建築用作文化用途。

地主說若有人要買他願意賣，開價八千多萬。

政府評估的結果並不可能。便只能任由那滿載靈性的古建築繼續庸俗、歷史魂魄反覆被糟蹋，徒讓懷舊的心情目光，一次經過，一次蹙眉嘆息。

【右頁圖】1998 年，中央書局不堪長期虧損，最終吹了熄燈號、結束營業，令所有愛書人感到惋惜遺憾。（林良哲／提供）

中央書局的營運與出版

書架前啟蒙茁長的文學種籽

曾是貧瘠荒地裡的一方綠洲、曾是驚爆風雲會集的歷史空間，它敞放提供的藝文養分，於綿綿歲月中先後滋養了許多人。中央書局是許多人的共同記憶。圓弧立面，柔和燈光，有溫度的階梯，溫馨拐角……，一個個成長身影經過、佇足留連，他曾經出現，喔，原來你也在這裡！

「小凱，為何六年級前的中部文人，在回憶裡總會提到中央書局？他們和中央書局有什麼關連，或是曾在中央書局留下什麼樣的記憶？」

「中央書局彷似眾多文人共同的思想啟蒙地，若能將這些故事串組起來，一定很有意思。」

「聽起來是很不錯啦，可是——我們怎麼知道誰有故事，他們會告訴我們嗎？而且報告繳交期限真的快到了耶⋯⋯」

「所以我們要更加把勁，分頭聯絡，只要有誠意，一定行得通的！」小凱充滿鬥志。

欣倫咬了咬下唇，當下與小凱便開電腦，劈啪搜尋了起來。相關名字一個個鍵入，如對大海撒網、或向廣闊天空丟出希望，一次次回收，落空再撒出，雙腳隨著回應東奔西跑，彷又搭乘時光機，跟著那曾經藏躲在中央書局書架前的心靈，意志再次勃發。

小凱的相機對著歷史廊道，調轉光圈，往前、再往前⋯⋯啊，你看到了誰？

| 另種特權，享受獨特的閱讀時光 |

陳千武、葉蔚南、楊翠、詹宏志

時間倒轉回 1930 年代，就讀臺中一中三年級的陳千武 (39) 一身灰樸，臉上卻含光采。酷愛文藝的他已將臺中圖書館能看

的書都看遍了，便利用放學等車回豐原那段時間，到中央書局去看書。天天站立書架前，將書一頁頁往後翻，兩眼掃描書頁，意識速讀吸收著。

一天，那看似書店主管的人向他走來，陳千武不好意思趕緊將書插回架上，兩腳打滑便要開溜。那人見陳千武要走，便喊住他：「嘿，你等一下。」

陳千武心底直覺不妙，擔心若要他買書，他可沒錢！

而對方卻問：「你剛才看的是什麼書？」

陳千武再將那書自架上抽出——

「啊，你喜歡文學作品？」

「是，我喜歡看！」陳千武的心懸吊著，不知接下來會怎樣。

「那你來。」那人便帶陳千武進到經理室，拿出他編的《臺灣文藝》讓陳看。

原來他就是張星建，陳千武從那時起才知道原來臺灣也有文學，張深切、張文環、龍瑛宗這些作家的名字開始進入他的視野。

張星建期待陳千武創作文學作品，留予後代作為文學資產，並要他以後別站著讀，可以到他辦公室坐在沙發上看書。

特別的待遇讓陳千武書讀得更多更起勁，也更熱愛文學。

「哇，多麼激勵人心！臺灣文學史上的重要作家，便這麼

被培育出來。」

「是啊，鼓勵求知，推廣藝文本是中央書局的創立宗旨，而後續的發展，也確實發揮了這項功能。」

「在中央書局享有特殊待遇的，可不只陳千武喔！」小凱顯然做了功課。

「啊，那還有誰？」

「葉蔚南啊！葉蔚南的父親是葉榮鐘。葉蔚南小時候父親便常帶他到中央書局，有時和朋友相約見面，有時進到二樓張耀錡的經理辦公室，和一群人聊天，那時候中央書局是『文化先』們談天說地的場所。」

葉蔚南記得讀初中時，父親有次帶他到中央書局，直接帶他進一樓辦公室找一位叫黃榮品的先生，告訴他，以後葉蔚南來買書請給他方便。從那天起，他在中央書局便享有讓同學羨慕的特權──買書可以記帳。

葉榮鐘對子女的教育向來費心，為鼓勵葉蔚南看書，採用了這種方式。如此一來，便可從月結帳單了解葉蔚南看了哪些書。葉蔚南回憶自己高中畢業前在中央書局買最多的書，除了歷史小說，就是英文小說。那時中央書局有一套簡易版的英文小說，書底有一段敘述：「只要能懂一千個單字，就能看懂這本書」，書裡還有這本書的單字介紹。葉蔚南便由一千字一直看到三千字的英文讀本。

葉蔚南記得 1971 年父親的《臺灣民族運動史》出版後，決定和母親前去美國探親，便到中央書局買了《英語 900 句型》勤加練習，琅琅上口。即便口音帶很重的日本腔仍不放棄，希望到美國可以和人溝通。回來寫的《美國見聞錄》也是由中央書局出版。

「另一個曾在中央書局享有特殊待遇的，則是楊翠！」

「什麼樣的特殊待遇呢？」

「楊翠與中央書局有著特殊情緣，除阿公楊逵偶會帶她去開會，另外，中央書局還是她專有的圖書館，書局裡的書她可帶回家看。」

「這事怎麼開始的？」

原來楊翠的姑丈就是中央書局的會計陳景陽，一天聽楊翠嚷著：「家裡都是阿公看的書，我找不到書看！」

姑丈疼惜她這樣愛閱讀，約定好如能將書保持完好，便可將書局的書借回家看。

那時楊翠小學五、六年級，從此她每星期都到中央書局借六、七本書，直到高中。她一開始先看兒童版的歷史故事，《東周演義》、《三國演義》，如薛剛鬧花燈、薛丁山、薛仁貴的故事，啟發對歷史的興趣；小六至國一開始看西方童話故事，如《伊索寓言》、《金銀島》、《湯姆歷險記》；之後看《亞森‧羅蘋》及《福爾摩斯》，那些書至今印象深刻，可說是她閱讀

經驗最快樂的一段期間；另外如神祕百慕達之類的書她也很喜歡。

女中時期，中央書局是楊翠與臺中一中及其他文青約會碰面、情感連結的空間，而或許因自小在那借書，對它的主動性及興趣反而不若其它書局。1970 年代後期，中央書局對楊翠而言只是眾多書局之一。

「可以盡情隨興享有整座書城的資源，感覺好過癮喔！」欣倫不禁羨慕了起來。

「是啊，尤其是在書籍流通還不是那樣豐沛的年代。」

「另一個人，他雖然沒有特權，卻因緣際會，讀了好多年以中央書局為轉運站的書。」

「有這種事？那人是？」

「詹宏志！」

詹宏志自小喜歡閱讀，草屯當時書的取得相當不易。家中無書，求知若渴的他幸虧有個在中興新村擔任公務員的姨丈，讓他有機會見著《胡適文選》、《朱自清文集》、蔣夢麟的《西潮》及羅家倫的《新人生觀》。

1960 年代，臺北出版社及大陸圖書批發的書籍不直送偏鄉，詹宏志小學時，就讀臺中女中的姊姊長期幫草屯三省堂到中央書局取書，酬勞是那些書得在家中放置一晚，詹宏志因此

得以遍讀那些書，馮馮的《微曦》、朱西甯的《鐵漿》及司馬中原《路客與刀客》便是那段時間讀的。

　　臺中一中時期，除了學校圖書館和省圖，詹宏志也常到美國新聞處借書，享受不限冊數且可借兩週的便利。除此之外，他最常去的便是中央書局。中央書局規模大，書種多，具有許多大專及學術用書。二樓角落更有一般書店難得見著的臺灣商務印書館復刻版書籍，尤其人人文庫系列叢書，對他有極大吸引力。詹宏志為通學生，放學後喜歡逛書局，汗牛書局折扣較多，中央書局的氣氛沉靜、人文氣息濃厚且對顧客友善，最適合閱讀。

　　詹宏志認為在那物資匱乏的年代，中央書局以寬容大方的進步態度，默默照顧一世代人。讓許多知識分子自然留連其中，以它為開闊眼界的生活中心。中央書局的歇業讓許多人覺得感傷，一直覺得虧欠它一份啟蒙之情。

　　日治、光復，戒嚴然後解嚴，世事不停演變，中央書局屹立街角，懵懂的腳步陸續經過，有人因此清楚了志向，智識文心獲得了滋養。

　　光圈再轉，光亮名字接著一個，文學志趣於此溫馨傳承。

　　這回走進中央書局的是誰？誰在書架前閱讀？哪雙渴望文學的眼神徘徊、黏著於書架前面？

書架前啟蒙苗長的文學種籽

| 迷路燈塔，靈光乍現那一刻 |

廖玉蕙、林景淵、王溢嘉

「你知道作家廖玉蕙 (40) 對中央書局也充滿感激，中央書局在她童年迷路時，曾像座燈塔般指引著她。」

「怎麼說呢？」

廖玉蕙自小在潭子長大，從未獨自到方圓一公里外，更不曾自己搭公車。國小五年級時母親擔心她讀潭子國小不利學習，便將她轉至臺中最負盛名的師範附屬小學。轉學第一天，母親帶她進入市區，沿途叮嚀她回家的路。孰知放學時本該走到第二市場搭車的廖玉蕙，卻在路上迷失方向。陌生的路，張狂的車輛，迷亂的招牌似都在恥笑欺凌她。廖玉蕙心慌意亂卻羞於問人，只見天色倉促暗下，迷離的路燈一盞盞亮起。廖玉蕙欲哭無淚，不知何去何從。正當焦急之際，只見街角有一處燈光明亮。廖玉蕙直奔前去，無意間撞見了生命中的重要地標——中央書局。

廖玉蕙睜大眼，心想原來這裡有這樣一個地方，有鄉下不曾看過的文具和書籍；原來在喧雜無情的都會，有這樣一幢樓房，可以自由走入穿出，停留其中，恣意汲取心靈養分。這神奇祕境彷如上天賜予她的，廖玉蕙當下慎重記住位置，一得空便前來看免費書，直到高中畢業。

發現這樣一個閱讀天堂，受益的不只廖玉蕙一人，那時母親迷看瓊瑤小說，鄉下的租書店新書進得慢，廖玉蕙往往可在中央書局幫母親先看。

　　中央書局是文學寶庫，許多課本提到的內容，往往可在這裡找著出處，見著全貌。廖玉蕙之前偏愛閱讀小說，一次週會，校方請東海大學的孫克寬教授前來演講，提到王國維標舉的人生三境界：「昨夜西風凋碧樹。獨上高樓，望盡天涯路」、「衣帶漸寬終不悔，為伊消得人憔悴」、「眾裡尋他千百度，驀然回首，那人卻在燈火闌珊處」，廖玉蕙初聽覺得新奇，待於中央書局見著《人間詞話》原文，才深切感受到詩詞的美好。之後她開始看《泰戈爾全集》，並利用放學後前去中央書局將《戰爭與和平》一頁頁讀完。黃昏光影移行，廖玉蕙為躲閉店員質疑目光，身姿也跟著在書架前頻換角度。

　　廖玉蕙小時候常因偷看書或偷聽廣播挨揍，中央書局是她閱讀的樂土，也是她走上文學殿堂的重要階梯。上了大學，甚至後來到《幼獅文藝》工作，手頭較寬裕有錢買書，但她仍懷念中央書局曾帶給她的文學驚喜及閱讀環境。

　　林景淵於 1959 年就讀臺中師範，那時寒暑假若要返鄉，清晨四點即須起床，長竿當作扁擔，一頭挑棉被一頭挑書籍雜物，左搖右晃，搭乘平快車至林鳳營下車還須走一大段路，回

過去曾擺放在中央書局二樓的日文雜誌《文藝春秋》，至今仍然暢銷，傳播著日本文化界的最新訊息。（林景淵／收藏，羅有隆／翻攝）

到家往往已過中午。林景淵平常利用課餘到處找書看，若能買著便宜的書，便是生活中最大的喜樂。中央書局離校近，店員從不緊迫盯人，感覺較無壓力，林景淵常在那看國學類書籍或巴金、魯迅、茅盾的小說。另外國民黨來臺後，臺北書店印製相當多字帖，其中又以二玄社印得最精美，讓他看了愛不釋手。

中央書局只賣新書，林景淵買不起，他逛得最多的是公園路靠近自由路大樹下的書攤，曾經在那買下一部分《宋元學案》。另外，萬代福戲院附近有家退伍軍人擺的書攤，常有大陸圖書館淘汰出來的書，林景淵也常在那裡尋寶。

而讓他印象最深刻的是一次在中央書局二樓的玻璃櫃，見著日文雜誌《文藝春秋》，當下心神嚮往，感覺眼前亮出一道彩光。雖不敢妄想自己有天能遠渡他鄉，往赴眼前這精美雜誌所來的國度，而這份傾羨之情冥冥當中似有引力，牽引他往後走上日本文學的研究之路：林景淵於 1973 年才到日本，日後徜徉於豐美的日本圖書文化，或至東京神田神保町朝聖，內心始終記得在中央書局遇見《文藝春秋》時的奇特感覺。

　　另一個曾經在中央書局有過奇遇的是王溢嘉，他人生極重要的一本書，便是在中央書局買的。

　　王溢嘉雖為臺中人，高中畢業前對中央書局並無特別印象，只知同學張光裕家開了家書局，他祖父張濬哲是社長。

　　1968 年高中畢業至臺北讀書，自許成為知識分子，便廣泛讀書充實自己，醫學院前四年寒暑假回臺中，便常到中央書局二樓閱讀人文相關書籍。印象最深刻的是大一寒假在中央書局見著正文出版，尼采原著的《蘇魯支語錄》，翻開書，似見一道閃電劃過荒野，照亮他渴望耕耘與豐收的心田。王溢嘉直覺那熾熱光芒穿透內心，讓他感到顫慄，渾噩知覺突然醒悟，意識到所有閱讀都是一種傾聽，在那閃電之後，他聽到遠方傳來的隆隆雷聲，像是聲聲的呼喚，在呼喚著他。他便隨那聲音前行，進入一個瑰麗迷離境地，目睹奇異的知識與高貴靈魂，

留連其中，年輕、飢渴的生命因而澎湃不已。

《蘇魯支語錄》（後來通稱為《查拉圖斯特拉如是說》），像一把神秘鑰匙，為王溢嘉開啟通往更高精神境界那扇門，尼采於是成為他年輕時代的精神導師之一，讓他對人文越來越有興趣，乃至後來棄醫從文。

中央書局二樓還有協志工業叢書出版的《愛默生散文集》、《培根論文集》、或禪佛宗教入門書，王溢嘉也很喜歡。當時臺中鮮少具水準的書局，大部分的書局只賣參考書、橋牌棋藝、風水相命等通俗書籍，中央書局不但書種多元，分類詳細，相當難得珍貴。

「看來環繞中央書局的故事還真不少！除了個人閱讀，有

雖然生活費有限，書也不便宜，但有心的岩上仍然省吃儉用，一本本地收藏了《現代詩》雜誌。（羅有隆／翻攝）

時還會遇著特別難忘的人和事！」

「在書局能發生什麼樣的事呢？」

「譬如說，遇見知音同好啊！」

│ 知音相會，文學締結出的情誼 │

岩上與柴棲鷥、林廣和洪醒夫

岩上 (41) 早先住在嘉義，能見著的文學書極其有限，1955
年就讀臺中師範，無意間於中央書局騎樓前的書攤見著紀弦編
的《現代詩》，一本兩塊錢。那時師範生一天生活費大約十元，
小學老師的月薪也僅只二、三百。對岩上而言，若能購著喜歡
的書，再怎麼省吃儉用也值得。岩上於是將那兩本書當作寶貝，

岩上珍藏的《藍星詩選》
1、2輯，刊載覃子豪
與紀弦之間的現代詩論
戰，讓他從中了解現代
詩的發展進程。（羅有
隆／翻攝）

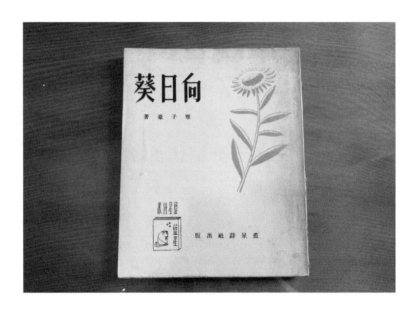

基於對現代詩的熱愛，岩上在中央書局買下覃子豪的作品《向日葵》，也因而遇見文學摯友柴棲鷺。（羅有隆／翻攝）

即便經過六十多年，其間搬遷 29 次家，並經八七水災肆虐，其它重要證件多半散失或被蟲蛀，而這幾本書他仍然妥善收藏。岩上確定當年若未見著這幾本詩集，他對現代詩的接觸勢必延後，個人詩學的發展也將改寫。岩上還在那裡買著覃子豪所編的《藍星詩選》，其中第一、二輯刊載覃子豪與紀弦激烈論戰內容，讓他對當時現代詩狀況有清楚的理解。

那時師範生一律住校，平常不可外出，岩上放假時最愛泡在中央書局，在那一個燒餅一塊錢的年代，岩上對於物質並無渴求，對學校課業也不甚熱心，卻滿腔對於現代詩的熱情。當時沒有文藝社團，岩上自燃的文學熱情僅靠書寫日記、抄寫名家詩集來維繫。他第一首現代詩寫於師範二年級，對現代詩的志趣源於此時。戒嚴時代，師範生思想務必純正，並配合教育

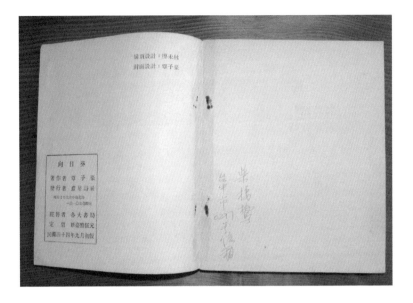

柴棲鷥於覃子豪的《向日葵》書後留下通訊地址，搭起友誼的橋樑。（羅有隆／翻攝）

部所規定的活動。9月開學至10月底須準備國慶遊行，踢正步，舉標語，全部禁假。在封閉的環境中，是文學開闊了岩上的視野，而中央書局正是那道門，讓他登入文學殿堂，也於此結識了有緣人。

一天岩上在中央書局二樓翻閱覃子豪的《向日葵》，聽一旁有人持外省口音對他說：「你也喜歡現代詩啊？」

岩上詫異抬起頭，眼前著軍裝之人說他是覃子豪的學生，平常也喜歡讀寫現代詩，正在臺中陸軍測量學校服役……，一聊起現代詩，兩人眼神便燃起熾烈光采。那人於是在岩上將買的《向日葵》內頁，簽寫姓名地址──原來他叫柴棲鷥，是向明的同學。

之後岩上曾到部隊找他，或相約臺中市區小聚，兩人越聊

越投機，於是成為知音。柴棲鷥興奮能遇見愛詩、寫詩的朋友。岩上畢業旅行還買了盒花蓮薯去看他，這份因詩串起的緣分便發生在中央書局。

之後岩上定居草屯，偶爾到臺中，中央書局仍是他最常去的地方。只是草屯到臺中一趟車錢七塊半，去一趟須花一、兩天薪水，負擔太重不能經常往返。

「好深刻單純的情緣喔！」

「另外，據說洪醒夫和林廣曾是哥們，他倆便常在中央書局切磋文藝。」

林廣 (42) 於 1969 年參加復興文藝營認識了洪醒夫，回臺中後兩人繼續聯絡，那時洪就讀臺中師專，林讀臺中二中，兩人常相約在中央書局碰面，一起看書、討論詩藝或交換讀書心得。那時洪以「司徒門」為筆名發表小說，林則在校刊上寫詩，洪有任何心得感想總不吝與林分享；對林的作品也能提出中肯意見。他們常看日、俄翻譯小說，如杜斯妥也夫斯基《卡拉馬助夫兄弟們》，司馬中原及朱西甯的作品。洪看出林較不擅長說故事，鼓勵他朝新詩努力，並認為每個文學家都應有詩的涵養、任何文學至頂峰皆有詩的存在。

在洪的鼓勵下，林廣詩寫得更殷勤，文學志向從此確定。

馬奎斯《百年孤寂》問世時，中央書局刊出訊息，洪醒夫

想辦法找到書，讀完後相當欣賞，期許自己以後也能寫出這樣的作品。

　　林廣懷念並感激在中央書局看書的日子，當時他家住興中街，走路到中央書局只需五、六分鐘。中央書局騎樓布告欄上貼有《國語日報》，一樓靠中正路的櫥窗則擺各種雜誌，讓他們在資訊流通尚未發達的年代，能夠盡情閱讀；在窮困的生活條件中，得以享受知識與文學的豐美；也因中央書局，讓他和洪的兄弟情得以超越時空而永存。

　　「文學知音，好深刻感人的情誼啊！」

　　「林廣在 2015 年 5 月號的《秋水詩刊》還特別寫了一首詩紀念他們這段情誼，詩名就叫〈中央書局〉：

　　只為惦記一個名字

　　每年固定的日子

　　一隻落單的候鳥

　　總會準時來到

　　早已沒有巍巖鳥鳴

　　山林古早的氣息

　　依然在沒落商圈

　　悠悠飄盪

黃昏時刻。我們

從臺中師專散步到這裡

那是找尋夢的軌跡嗎

許多小說家、詩人的影像

不斷地從書架上探頭

窺伺我們

那眼神彷彿預知了

一道驚蟄春雷

一則市井傳奇

終究抵不過命運的捉弄

「有一天。你會在架上

看見我的名字。」

彼時市府路還連通到市府

彼時你預言百年孤寂將登頂峰

卻因突來風暴而回歸孤寂

再多的驚愕惋惜都挽不回你倔強的身影

不斷變換的店面澈底

遮掩了最後一抹流金

我依然候鳥似地準時來到

探訪一個不曾忘懷的名字

「小凱，你會不會覺得，以前中部的文青，生命過程都和中央書局或多或少有關連？」

「是啊，中央書局對他們的影響，可能還超過學校呢。」

「尤其那些不甘被禁錮的心靈，似乎不約而同都跑到了中央書局。」

「也幸虧有中央書局這樣一個自由、敞放的場所，收容、幫助了這些正當風發的文心！」

文學練功場，磨石地板上的青春

路寒袖、楊渡、廖莫白

路寒袖出身大甲 (43)，1970 年代就讀臺中一中，高二開始接觸現代文學，閱讀王尚義《野鴿子的黃昏》。高二下轉進社會組並與同學興辦「繆詩社」，對文學相當迷戀。他大量閱讀現代文學，常為存錢買書節省三餐，生活極不正常。經常騎著腳踏車穿梭於各家書店到處找書，那時三民路上的汗牛書局折

扣最多，詩集與詩刊則以火車站前中正路頭的大眾、學海較齊全。儘管當時書店不少，但有的人多嘈雜，路寒袖最喜歡的還是中央書局。尤其二樓有許多文學書，人少清靜，可席地坐於磨石子地上。路寒袖花了一學期，利用放學時間讀完整套梁實秋翻譯的《莎士比亞全集》。

剛接觸文學時，路寒袖先自小說入手，從故事進入，其次才是散文和新詩。那時社團與中興大學的現代文學社聯誼，既要看懂文本又須作評論，對文學根基薄弱的中學生而言，確是一大挑戰。路寒袖憑著初生之犢不畏虎的精神拚搏，也瘋狂地充實文學知識。這時友善的中央書局便成為他的文學練功場，無人打擾的閱讀環境彷如他的私密書房。此外，中央書局也是文青的同溫層，文學心靈於此可相撞擊，尋得契合歸屬感。那段意氣風發的青春期，中央書局是路寒袖文心茁長的重要據點。之後流浪北部，為前途及生存打拚，偶爾回臺中仍會到中央書局，憑弔過往。而此時的中央書局已然顯現出疲態，一成不變的擺飾，未見活潑的行銷方式，似一滯停舟子，缺乏動力，隨將被新潮給沖毀。中央書局歇業後，路寒袖無限感慨，曾著詩篇：

高中的記憶早已淪為

喧囂夜市的殖民地

昔日巷弄內閑散的步履

如今充斥著血拼的勇氣

市中央的老書局熄燈後

先賢紛紛離了席

而書冊驚嚇散飛

不知該棲身於重劃區的第幾期

（摘自《記憶臺中》）

　　另外，楊渡就讀臺中一中時，對枯燥的課本知識也很厭煩，只想看學校不准許看的，於是便常到汗牛書局買禁書，李敖的書、陳映真 (44) 的《將軍族》都是那時買下的。另一個買書地方便是中央書局，楊渡記得，中央書局的二樓賣文學書，沉靜而少人，無論外面車水馬龍如何嘈雜，一上樓便靜了下來。店員不干涉，任由你愛看多久就多久。讓楊渡意外的是，也許是管理太老舊，老到被查禁的、該退書的、已絕版的、甚至被社會遺忘的書，在中央書局都可能找到。如葉榮鐘的《小屋大車集》、《半路出家集》、《三友集》及洪炎秋的散文集，他都是在這裡找到的。

　　1980 年代初的戒嚴時期，臺灣文學還是禁忌，楊渡便在那沉靜書店裡，細讀葉榮鐘的回憶隨筆。想像葉榮鐘於二二八後，如何在臺中圖書館清理那些他最愛的理論經典及 1930 年

《三友集》的三友，即蘇
薌雨、葉榮鐘及洪炎秋三
人。（陳啟佑／提供）

代的文學作品，無可奈何地燒毀這些禁書，內心痛得不得了。

在中央書局寧靜的空間裡，時光彷如倒回、靜止了，楊渡便從

那一本本帶著落魄氣息的書頁，緬懷那彷似遙遠，卻與自己所

踐踩土地息息相連的人事──災難後張深切回到草屯，張文環

在日月潭，這些抗日鬥士曾以文學為職志，以筆為劍，想為歷

史留下一點見證。

更讓楊渡驚訝的是，無論是社會主義、無政府主義、共產

主義，農民組合等社會運動，臺灣早在日治時期，便已跟著世

界潮流轟轟烈烈發生過。那時無政府主義的「黑色青年」曾帶著熱血，組織劇團，在農村的臺灣大地上演出過、在街頭流浪抗爭過。可惜這些輝煌火熱的歷史後來都被遺忘，只被堆放在書局的一角，等待有天被看見。

楊渡詫異沒落市區中竟有這般重要的歷史現場，之後他更了解，原來中央書局曾是文化協會在臺中活動的本部、是反抗運動聚集大本營、更是臺灣社會運動史上無法遺忘的一個見證。

「不論文學心靈或社會、民族意識，中央書局提供許多人觸發醒悟機緣，他們先來後到，或許曾經擦身而過，或相隔一排書架，各自摸索找尋著思想出路呢！」關於這點，欣倫與小凱深有同感。

廖莫白（廖永來早期的筆名）於 1971 年進臺中師專就讀，那時師專的教育仍然封閉，周圍同學對於未來各有計畫，有人積極準備高考、有人想成為檢察官或律師。廖莫白亦曾試著準備考試，卻因志趣不合苦不堪言。之後接觸文藝社團、到圖書館閱讀文學書，情緒才漸找著了出口。他參加「後浪詩社」，結識了洪醒夫、蘇紹連、陳義芝，文學興趣更愈濃厚，便想多找些文學書來看。而在那禁忌時代，圖書館許多書都被收起來，能看到的只有《幼獅文藝》、水牛叢書、文星叢刊這類書籍。臺中的書局不多，中央書局具規模且離學校近，建築高雅並為

磨石地面，對出身寒微，自小住竹管厝（半竹半磚，土泥地）的廖莫白而言，那是醫生館才有的高級場所。

印象中，中央書局的文學書放在二樓，書架層層隔開，有名出版社如商務、三民書局的書多置中央最方便取閱處。廖莫白喜歡葉石濤、朱西甯或司馬中原的小說；臺北周夢蝶 (45) 書攤才得買的鄭愁予《夢土上》、洛夫《石室之死亡》在中央書局都有，感覺如座鄰近的寶山。那時一般文學書一本二、三十元，暑假過後學校補發 7、8 月生活費，更可多買好幾本。

中央書局容許人盡興閱讀，其它書店鮮少如此。有的一踩進店裡，店員便以道上兄弟的凶惡口吻逼問：「你要買什麼？」讓人望之卻步。

當時與廖莫白同是師專同學的張寶三及李國耀也常到中央書局。愛書人或佇立書架前、或背靠著柱子，電扇徐徐轉繞清涼的風，置身其中感覺快意充實。那時廖莫白對社會時事已生興趣，讀起葉榮鐘《小屋大車集》裡社會關懷的內容極有共鳴；司馬中原《鄉野傳奇》裡的鬼怪及吳晟的《吾鄉印象》也給予他不同啟發——原來文學如此有趣，文字可以這樣表達！他於師專時期開始文學之路，從寫自身生活後來逐漸確定寫實路線。畢業後到雲林教書、之後有空至臺中總要到中央書局，一待便二、三小時。

因對中央書局的嚮往，廖莫白亦曾想要經營書店，1981

年自曾錦芳手中接下中興大學附近的梅華書局，並與吳晟、李進發編選《大家文學選》，可惜理想實現不易，平白虧損了二、三十萬，便轉由苦苓、王定國及向陽接手。

｜親近書籍，智識啓蒙的窗口｜

趙天儀、劉克襄、楊明、沈政男、江心靜、謝文泰

「有書籍及友善大方的場所，便可餵養求知若渴的靈性。小凱，你能想像那時若沒有中央書局，讀書人將多苦悶？」

「是啊，媒體尚不發達的時代，文人多靠書籍養分茁長心志！」

趙天儀 (46) 是老臺中人，家住市區，光復後包含中央書局在內的書局，他都有印象。他讀臺中師範附小時，與張耀錡的弟弟張耀峰是同學，那時候張煥珪擔任家長會長；之後趙天儀讀臺中一中，家長會長也是張煥珪。印象中他總穿著「臺灣衫」，極具紳士樣。

附小及臺中一中算是臺中的貴族學校，中央書局提供中部菁英接觸文學的場域。戰後頭幾年臺灣並無教科書，當時若無中央書局、文化書局和日本人留下的那些舊書攤，知識分子還真不知如何是好。

趙天儀中小學時，中央書局為中部教科書的主要代理商，

營業項目比一般書店多，為中部文化龍頭。趙天儀的教科書、筆記本及文具多在中央書局購買。在他印象中參考書有一本叫《模範作文》，裡頭每篇文章開頭都是「光陰似箭，日月如梭」。學生寫作文都參考這本書，開頭也全都是「光陰似箭，日月如梭」，每回拿出這本書就知道要寫作文了。另外他也常演練《模範算術》裡的題目。

　　趙天儀自小酷愛閱讀課外書，常站在繼光街的書店讀小說，往往讀到書局要關門了，才依依不捨地離開。那兒有自大陸進口的書，《小朋友週刊》相當吸引人，趙天儀從中讀到一些俄國童話，如托爾斯泰 (47) 的〈冰雪老人〉、〈金鑰匙〉；也讀到自上海、香港來的章回小說，從《封神榜》看到各朝代的演變；戰後不久大陸的書都來了，如魯迅、巴金、茅盾、老舍、冰心……，各書店都有。那時啟明書店有許多翻譯書，如《少年維特的煩惱》、《三劍客》（稱《俠隱記》），而書種最多的仍是中央書局。

　　趙天儀在靜宜大學教書十七年，剛回臺中那幾年仍常去中央書局，那時中央書局的書還不少，他比較留意文學及哲學類書籍，意外發現英文版的《梵樂希全集》，可惜他沒錢購買，只能渴羨看著那些書，期盼有天能把它抱回家。

　　劉克襄自五歲起一直到高中畢業離開臺中，生活始終與中

央書局脫不了關係。父親於大同國小任教，平日嗜好閱讀，常騎著腳踏車，有時單獨，有時車後載著劉克襄，匡匡噹噹便到中央書局。除了領取新的《讀者文摘》，一本本童書及《國語日報》裡的有趣故事便進入劉克襄視野，開啟他對未來的想像。父親喜歡讀五四後的文學、偶爾也買日文書，劉克襄家中整套的《自由中國》及魯迅、巴金的作品應是這時在中央書局購買的。

　　那時父親帶六年級升學班，為讓學生順利考上初中，成天出考題、刻鋼板，自中央書局買來的油印機不停滾動，寫滿考試重點的紙張一張張吐出，一家人的生活便如此運轉著。

劉克襄的母親自小便在中央書局看書、購書，對書局有很深的感情。圖為劉克襄母親陳孍孍手繪的中央書局。（劉克襄／提供）

書架前啟蒙茁長的文學種籽

年紀稍長後，劉克襄自己也喜歡到中央書局，主要因中央書局二樓賣有科普書籍，不論蘭花、鴿子或十姊妹飼養，皆引發他極大興趣。另外，橋牌類的書，以及騎樓前馨香的雞蛋糕也是吸引他的因素。

　　劉克襄記得書局旁有家功學社，前去看樂器，買了吉他，就近便可到中央書局逛逛唱片或樂譜，市府路附近當時為文青歡喜留連之處。此外，中央書局賣有不少教科書，課本不見了，也可在那裡買到。1975 年高中畢業後北上讀大學，劉克襄的興趣移往現代詩，中央書局的詩集不多，便少再去。

　　劉克襄的母親就讀臺中商專時，領書買書必到中央書局。即便畢業出了社會，對中央書局仍存特殊情感，近來習畫，一筆筆青春記憶、忍不住便將印象裡的中央書局畫了出來。

　　楊明記得小時候每逢星期六晚上，父親（楊念慈）常帶著全家到中正路附近看電影、吃館子，回家前的最後一站往往是中央書局。爸爸會讓她和哥哥各挑一本書，《基督山恩仇記》、《西遊記》及《安徒生童話》便是那時候買的，回家已經累得睜不開眼的她，隔天一早便迫不及待起來閱讀昨天選的書。

　　楊明中學讀曉明女中，假日和同學約碰面的地點往往也在中央書局；平常搭校車上下學，有時為到中央書局買書，故意在第一信用下車，到書局裡頭翻翻看看。許多名家的書如余光

中《蓮的聯想》、梭維斯特《屋頂間的哲學家》、托爾斯泰的《戰爭與和平》及莫泊桑的《脂肪球》便是那時候看到的。除了書籍，當時臺中的藝文表演幾乎都在中興堂舉行，不論校園民歌演唱會、雲門舞集或雅音小集的門票，都可以在中央書局購買。楊明至今仍記得登往二樓那古老的樓梯，對年少的她而言，那就是通往文學藝術的路徑。

　　楊明喜歡在舊城區活動，覺得一座城就該有裝盛記憶的場景，無法和老朋友在老地方見面，讓人覺得哀傷落寞。舊城區復甦、中央書局能再開業，對老臺中人是很大的安慰。

　　沈政男第一次到中央書局是在 1983 年，那時他就讀臺中一中一年級，週六下午騎著單車走三民路轉中正路，將車停於騎樓前面，往往便進到書局裡頭優遊一個下午。高一上學期，沈政男仍保持國中時對中國古典文學及哲學的興趣，開學沒多久，就到中央書局買了藍皮平裝、附有注音的三民書局版《莊子讀本》；之後也買了《古文觀止》和《楚辭》；因自小對書法有興趣，也買了一些字帖及相關書籍。

　　沈政男曾立於那冰冷的水泥磨石書架旁，一本本翻看李敖寫的批判書籍，這可說是他對政治的啟蒙期。當時中央書局算保守，並未販賣黨外雜誌，沈政男都到三民路的聯邦書局購買《八十年代》。《八十年代》的主編是司馬文武，沈政男在高

中時代已熟讀他的文章。

中央書局於 1990 年代漸趨沒落，沈政男有陣子週末常到老中區活動，經過中央書局時，見那熟悉的灰色三層樓建築外頭張貼著刺眼的血紅招租廣告，像額頭被貼了符咒的殭屍。透過蒙塵的玻璃帷幕，依稀可見先前販賣安全帽留下來的存貨，那破敗畫面讓人看了極為感慨。沈政男期待中央書局重新開業，哪天他能像三十年前那樣，和高中死黨騎車閒晃到那裡。

1970 年代出生的江心靜，國高中下課或假日經常到中央書局看書或買書。那時她很喜歡文學和寫作並且擔任國文小老師，所以時下流行的中外散文和詩集她都愛看，如林良、劉靜娟、趙淑敏、余光中、蓉子、卡繆、西蒙·波娃、紀伯倫等。另外，為了增進英文閱讀能力，也會買英文簡易版故事，如《小婦人》。

在她記憶中，中央書局是幢氣派的雕花弧形建築，像一座幽深古蹟，書架上書不多，不像當時剛興起的連鎖書局，明亮寬敞，還有新奇的暢銷書排行榜。每回上二樓找書，感覺洗石子地板似蒙了層灰，留給人陳舊灰樸印象。

後來知道前輩作家陳千武年輕時曾在這裡看書，並受到張星建經理的禮遇，那故事讓人感覺溫馨，並對前人惜才及對文化傳承的用心敬佩不已。

2010 年江心靜在臺北藝術節欣賞《渭水春風》音樂劇 (48)，再次體會 1930 年代時那場驚心動魄的文化啟蒙運動。而中央書局便是文協的大本營，既是日治時臺灣規模最大的中文書店，亦為傳遞新文化和民主思想盡心盡力，像這樣一座擁有臺灣文學輝煌歷史的文化地標，卻淹沒在一般的商店裡，江心靜深覺可惜，希望重新開業後，能夠連結過去並加入當代的意義，重建臺中文化城的美譽。

　　謝文泰印象中，1980 年代前臺中學子，消費不起的人到省圖，消費得起的到中央書局，中央書局總有省圖沒有的新書。他國中以前行動須受家人管控，因此只能到類似中央書局這樣被「檢核」、「認證」過的書局。國中後較能自主，想買書、有目的時便到書較便宜的書店；若無目的，便到省圖翻翻書。高中後，臺灣書店產生變化，誠品這類大型的連鎖書局出現，提供「好讀」書目，並有許多富含社會性及批判性的期刊，可為年輕人提供急迫性的資訊養分。相較起來，那時候的中央書局讓人感覺不到藝文活動的能量。謝文泰從小便喜歡看的「非正式報導」、稗官野史，那裡也沒找著，讓他一度懷疑，所謂「中央」是否代表「政治正確」的書局。

　　謝文泰高中階段喜歡看黨外或批判性書籍，如《野火》、《醜陋的中國人》。在那一切訊息由新聞局管控的禁忌年代，

整個社會看似和諧，言論穩定，卻無法滿足他內心起湧的求知慾。所以若想補充左派、社會學思想，他便會到獨立或主題性的書店。之後日系書店引入，以更人性的空間利用，結合圖書館的功能，感覺更具未來性，便讓人忘了中央書局的存在。中央書局的生存於是越愈辛苦，成為知識分子用來緬懷某特定時代的標記。之後謝文泰到臺南讀大學、退伍後回臺中，中央書局已不敵企業化書店競爭，吹了熄燈號。

不論如何，中央書局在謝文泰閱讀經歷中仍具特殊地位，他第一本《唐詩三百首》、《奇妙的恐龍》或《朱自清全集》皆在中央書局購買。中央書局後期因為書擺放凌亂，有的整疊放在角落，翻掀未拆封的書，常可尋著一些寶，在升學掛帥的年代，謝文泰常選第八節沒課時抽空前來，為鬱悶找尋出口。

那時文青約會多到省圖閱覽室，中央書局似乎太擠了些。假日有時會到自由路或繼光街的茶藝館，翻看舊書攤的書。偶爾也喜歡到中央書局，拿本書躲在角落，或坐在一、二樓梯間，享受不被關注的閱讀感覺。翻圖冊或攝影集，從找一本書的過程看到許多其它的書。

謝文泰認為一本書呈現的不只是文字內容、字體、紙質及美編，他喜歡多面向接觸，更細膩體會作者完整的呈現。中央書局的書夠多、夠雜，在那裡可以穿入不同時代，觀賞許多朝代的風景，即便逛逛各種書封，感受與收穫便極豐富。不論如

書店滄桑｜中央書局的興衰與風華

何，中央書局一直是謝文泰思維延展的重要支點。

「際遇與緣分交織，當時的讀書人或早或晚總會和中央書局締結出緣分。每個人受著的影響不同，一點觸發，或將推演為深遠波紋，小凱，你可知中央書局所延伸的志趣及它所串連出的緣分，往往超乎預期……」欣倫深有感觸。

小凱點了點頭。

| 志趣延伸，書香串連起的緣分 |

黃豐隆、渡也、吳晟、林德俊

黃豐隆於 1973 年就讀臺中高工，為要升學四處找尋參考書，因此走進了中央書局。他將《新版現代英文法》這些書當成武功祕笈，卻也因此接觸了如梁實秋《雅舍小品》這類的文學書。尤其他女友熱愛閱讀，兩人約會地點經常在中央書局。生日時，女友還會在中央書局買書送他，因此與中央書局締結不解之緣。之後他至外地讀書、服役，甚或出國留學，回到臺中總不忘到中央書局逛逛。那時他並不清楚中央書局背後蘊藏的歷史意義，只記得樓間階梯狹窄，燈光昏暗。黃豐隆習慣找幾本書尋個適合角落，從中汲取各種知識，並學習如何透過文字表達細節。

《現代英文法》書影。
（中央書局／收藏，羅有隆／翻攝）

之後在苗栗上班，因著工作及專業需求，黃豐隆回臺中較常逛的是汗牛書局、NOVA 資訊廣場。1996 年後陸續風聞中央書局即將歇業，那陣子便常去中央書局買書，帶著觀看夕陽的落寞心情，只見店內的書多自架上被取下，堆疊地上，綁成一綑一綑的。那時黃豐隆已開始從事地方文化工作，對史跡的消失特別有感觸，最後幾天還特別到中央書局緬懷一番。之後每次經過，見原本建築改變用途，內心不免悵然。

　　黃豐隆這些年致力於考古，對於古墳遺址尤多興趣。張家在豐原下橫山（七埒仔）為重要家族，他們於日治權威統治下努力開創家業，並結合資源，為臺灣社會文化做出貢獻，值得後人敬重。張江中的墳址在中科園區附近，若能深入考察探究，可建構出更多史實脈絡。

　　黃豐隆認為：中央書局不能僅以一家純粹的書店來看待。重新營業後，期待它早期的精神能被彰顯出來，他將廣為蒐集資料，希望經由對中央書局的了解，擴大研究出張家的家族史。

　　「多麼深遠的志向啊！小凱，你不覺得因為中央書局的報告，讓我們對於臺中城，或者說臺灣這片土地有更深入的了解，生命感覺踏實、豐富多了呢？」

　　「是啊，這就是所謂的宏觀吧。以前知道的不多，似乎也活得好好的，而了解過去，對此時處境及未來的路，應可看得較清楚。」

「與中央書局相連的，還有什麼樣的故事呢？」

「嗯，讓我想想看還可以去採訪誰？」小凱右手指於相機上點畫，鏡頭如水晶球般白煙氤氳，然後清明顯影……

詩人渡也 (49)1988 年之前有幾年住在嘉義，而在 1980 年至 1984 年間，他常到中興大學聽張夢機老師的課，或向黃永武及張夢機教授請益。每回到臺中他總會去逛兩家店，一是畫家謝峰生開的古董店、另一家便是中央書局。當時嘉義只有大眾化的書局，罕見純學術性書籍，而在中央書局卻可買到佛學、美學、甚至他博士論文所研究的唐代山水小品文方面的書。

1988 年渡也搬到臺中後，更常去中央書局，在那裡看到徐復觀的儒學政治思想、孫克寬的遼金元史、江舉謙的文字學……，這些書當時在臺北不見得好買，而在中央書局皆可見著。透過中央書局，渡也及其他讀者才得認識東海大學早年那些學養一流老教授的著作！渡也極珍惜這份閱讀經驗，至今仍收藏好些中央書局出版的書。

在渡也印象中，中央書局二樓的書擺得較擁擠，空間相對顯得較狹窄，人多但卻溫馨。而在角落有位李鍾麟先生，渡也因書的話題和他逐漸熟悉，巧的是十幾年後渡也一次到林沈默位於大里的家拜訪，推開門竟見著李先生就住對面。渡也此後常去找李先生。李先生是個愛書人，客廳擺著中央書局出的書，還送渡也好幾本洪炎秋及葉榮鐘的書。

「中央書局與臺中人的關係較深，臺中之外的文人也有專程到中央書局的嗎？」

「當然啊！去的時機不同，只要是愛書人，應該都想到中央書局看看吧！」

譬如吳晟 (50) 雖然生長在偏鄉，他從小便喜歡讀書寫字，1950 年代的溪州，連漫畫書都看不到，學校也沒有圖書館。吳晟偶爾拿到一、二本課外書，便如獲至寶，專心閱讀，並逐漸養成買書及喜歡逛書店的習慣，不論到任何地方都會打聽書店在哪，並想辦法前去逛逛。

吳晟自小不碰飲料、零食，零用錢多存起來買書。就讀彰化中學時，經常留連彰化火車站正對面的新進書局。初中畢業後至臺北補習，時間多花在逛書店、圖書館和去周夢蝶的書攤。之後讀樹林中學，假日仍常搭乘火車至牯嶺街、南海路，或到重慶南路。

吳晟對書冊，尤其是文學書籍，存著近乎迷戀的珍惜。認為逛書店可以嗅聞到出版新訊息，了解文化流行趨勢，避免與時代脫節。只要是去過的市鎮，鮮少錯過當地書店，尤其是別具特色的書店。1990 年代，吳晟的妹妹在臺中讀書，身為哥哥的他，便以家長身分前去探望，且循慣例逛書店，於是再次走進馳名的中央書局。這時的中央書局，與金石堂那些新進書店

相較起來，顯得昏暗老舊，書擺得雜亂，和興盛期的狀況已不一樣。但仔細翻，仍可找著其它書店沒有的書。只要能找著對思想、創作有啟迪，或以往買不到的書，吳晟便覺值得。

吳晟對中央書局一直存有特殊印象，覺得這是一家具人情歷史的書店，即便滄桑也耐看。

「中央書局的影響確實廣泛，可惜報告要交了，不然還可訪問更多人。」小凱似乎意猶未盡，有感而發繼續說：「妳知道嗎？人的志趣不知不覺受到啟發，人生路幾經彎轉，若能走向深耕地方，傳遞文化的工作，感覺也是很有意義。」

「嗯！」欣倫雖然認同，但不確定小凱在想些什麼。

「像林德俊 (51)，他長期擔任編輯工作，扮演作者和讀者之間的橋梁，算是種文化推動工作，2013 年他從臺北回到霧峰，思索該要做什麼時，他便直覺地想到要開一家書店。」

「這跟中央書局有關係嗎？」

「說不定有啊，他家住中部，小時候便常去中央書局，在他印象裡，中央書局簡直是家文具百貨公司，琳琅滿目，貨架上還出現了運動用品、服裝、樂器和留聲機……。他記得每次進入中央書局，都要聽老爸說一句：要什麼書籍文具，別處買不到，到這裡鐵定不會白跑一趟。長大後林德俊漸清楚中央書局所包含的歷史意義，對於一家書店所能承擔、發揮的功能

感到驚異！他後來會想要開書店，或許早在他童年進出中央書局、或日後聽聞多少文人曾在中央書局受到啟蒙時，便已埋下因子。」

欣倫點點頭，或許小凱以後也會是個有使命感的文化人吧。想到未來，思緒飄得老遠，理智趕緊將之拉回來——啊，中央書局，欣倫覺得這些日子來，她整個腦袋，包含呼吸似都寫著中央書局。如今眼看著就要大功告成，卻還是有些疑惑：「一個承載這樣多記憶的地方，歇業沉寂那樣久，總算要重新營運，這是多麼令人期待的一件事，但是誰促成了這件事？誰來接手？這當中的因緣你知道嗎？」

「當然要想辦法弄清楚啊！」小凱打開電腦，鍵入關鍵字，一條條訊息跳出。

「喔，是上善人文基金會，他們為何要買下中央書局？重新開業後會是什麼樣的情況呢？」

「這個嘛，我們還是該去問問相關的人比較好。」

「啊，你覺得他們會理我們嗎？」欣倫有些遲疑。

「放心，我們不是已經訪問那麼多人了嗎？」小凱揹起相機便拉著欣倫往外跑……

追本溯源，中央書局之所以能成立並持續一段時日，張家功不可沒。圖為張江中墓誌銘背面仕紳人名，可見其交友廣闊，影響力甚大。（黃豐隆／提供）

舊城區的新亮點，
書局新時代的來臨

第
六
章

滿載歷史傳奇的古建築，覆滿灰塵，隨著舊城區沒落沉寂。經過那樣多年，不甘
與嘆惋心情仍然持續……因緣會集，有心人的促成，眾人引領企盼中，中央書局
細膩整修後，將再敞開大門，熄滅之燈重再點燃，迎接舊雨新知，締寫新頁。

｜因緣會集成新局｜

「小凱，中央書局自 1998 年歇業，經過那樣久，竟然還能再生，可見很多人對它還是有期待。」

「是啊，中央書局的荒廢教人心疼，許多老臺中人持續關心，並試著尋求翻轉的可能。

《自由時報》的記者林良哲不甘心見中央書局轉作他用，每次經過，總忍不住拿出相機拍下一張，留作紀念。

長期關心臺中舊城區發展的劉克襄，每回碰見黃國書，總會談起中央書局的未來，商議如何努力，讓中央書局重現當年風采。

主持中區再生基地的蘇睿弼教授 (52)，多年來致力為舊城區找回魅力，中央書局自然是他關注的重點，還有許多人……」

中央書局似有靈性，冥冥中牽引各種因緣際會逐漸成形。

「那上善人文基金會呢？他們又怎會跟臺中、甚至跟中央書局有關連呢？」

「事情就有那麼巧，上善是以推動人文價值為核心的基金會，長期深耕在地人文與推廣生活美學，自 2011 年起在民生社區、城南牯嶺街區舉辦街區活動，挖掘在地場域的獨特生活內涵；之後有感於河流對於城市發展扮演了重要的角色，開始投入淡水河人文推廣活動，從中發現臺灣許多重要的文藝思潮都曾在淡水河畔大稻埕內發生，關懷對象便從河流延伸至土地

上的人文脈絡發展。在因緣際會下，2014 年底聽到蘇睿弼教授分享了中央書局租約即將到期的消息，了解到中央書局所承載的文化精神，基於對人文價值的珍視，對於中央書局也產生了一份顧惜之情。」

「聽起來有點彎繞，而中央書局租約到期，不見得就要接手吧！」

「當然，這當中還有故事呢！原來上善人文基金會創辦人張杏如女士是臺中人，她的外祖父林友仁為犁頭店（臺中南屯）的漢學家，二伯父張聘三為文協成員、也是彰銀董事長，中央俱樂部成立時更是主要募款人之一。張女士記得以前隨二伯父回老家掃墓，聽二伯父說他以前常去參加抗日演講，遇有警察來抓，便趕緊逃到外祖父家。」

「為什麼要躲到外祖父家呢？」

「因日本治臺後期多靠地方人士安定社會，所以對仕紳特別禮遇，躲進這些人家裡就會沒事啊！」小凱侃侃而談，和往常的畏縮木訥簡直判若兩人，他接著又說：「還有啊，張女士的父親曾持有中央書局股票，並將它留給當時住在臺中的姊姊，後來姊夫以二千元將它賣了，讓她覺得很可惜。因為種種因素，她對中央書局始終存有特殊情感。基金會於是在 2015 年承租下中央書局建築，積極籌劃建物修復及營運，期望延續過往文化思潮的熱切精神。而承租畢竟有租約限制，因此上善

多次向原房東表達希望能買下中央書局的心願，透過長期且全面的規劃以重啟臺中文化地標，誠懇的態度終於感動了房東，答應割愛出售。」

「原來如此！那劉克襄呢？他似乎對中央書局很有感情，也很用心？」

「是啊，經濟這麼不景氣，竟有企業願意出資，有心把臺中的文化靈魂找回來，劉克襄覺得很感動，便在眾人推舉下接了董事長職務，本著『知其不可而為之』的精神，期待讓中央書局以最少的虧損，發揮出最大的文化意義。」

「知其不可而為之，哇，跟文協時代推廣文化的精神可相呼應耶！」

「是啊，劉董始終相信臺灣社會若要翻轉，須從文化及生活價值的提升做起，書局為城市不可或缺的要素，優質書局既可帶動社會風尚，也是高文化水平的展現。他認為臺中不論從臺中公園到演武場，或從火車站到第二市場，中央書局剛好居於重要節點，彷如舊城區的心臟。若能擦亮這顆最大珍珠，結合宮原眼科、臺中四信等新興文創亮點，串連傳統美珍香餅鋪、萬春宮、全安堂臺灣太陽餅博物館及幸發亭，從綠川 (53) 到柳川整合起來，將可帶動舊城區的復甦。」

「一片榮景可期，聽起來好振奮人心喔！」

「是啊，他在任內帶領團隊進行建物整修及營運規劃，

即便卸任，也將繼續扮演文化義工角色，負責導覽及座談的主持。他認為年輕創業者及臺灣大道上新興的店家須有龍頭，期待中央書局未來成為臺中書局的旗艦店，將整個中區商機帶動起來。更希望中央書局在建物完工後，營運興隆，找回當年的文化精神。」

「他卸任的話，之後的董事長將由誰來擔任呢？」

「由之前中國醫藥大學的黃榮村校長啊，黃校長自2017年7月接掌中央書局。他曾負責九二一震災重建及桃芝風災中部救災指揮官，並於教改正當熾烈混亂之際接下教育部長職務，對於人文教育、歷史文化重建具有豐富經驗。至於他日後將領導中央書局如何發展，告訴妳一個好消息，他已答應接受我們的採訪了！」

「哇，你聯絡到了，小凱，你真的越來越棒了耶！」當初被分和小凱一組，欣倫心中還有些小抱怨，沒想到幾個月合作下來，小凱越來越投入，似乎也變得更為專業有學問，歷史果然讓人聰明有智慧。

「其實也不是我厲害啦，都是靠秀慧營運長的幫忙啦！」小凱抓抓頭，不太習慣被女生讚美。

以為嚴肅的訪談卻分外輕鬆，黃董事長說他就任後將持續基金會的公益角色，期望重新開幕的中央書局，不只是幢懷舊建築，除了恢復原有的主要功能，反映當時精神，並要顧及現

代人的需求，吸引有興趣及想法的年輕人進來，使其成為觀念的燈塔。他認為臺中腹地廣大，是一容易吸引人才且有機會發揮創意的新興都會。他深信臺灣人不缺乏愛心與理想，只要理念獲得認同，妥善規劃，中央書局日後勢將再度成為臺中重要的文化指標。

「至於日後的營運規劃呢？」

邱營運長侃侃說道：「初期將以穩固根基作為營運重點，喚回民眾對中央書局的認同。之後陸續將藉由展覽及各種活動，傳遞人文歷史知識；並將以主題選書、沙龍講座等形式，接上全球的文化思潮與脈動；也計劃透過對傳統工藝、當代設計及絕版書的關注，提供創作者交流平臺，讓中央書局成為藝術推動、跨領域合作的多元空間。將致力營造舒適的閱讀、休憩空間、提供多功能的展演、聚會場所，讓中央書局既具歷史感，又富時尚品味。」

「聽起來讓人很是期待！」欣倫與小凱努力記寫，對於有心經營文化事業者，心中滿是佩服。

啊，從日治到現今，不論是 X、Y 或 E 世代，文化的承傳不能中斷。人唯有清楚自身及所屬族群的歷史定位，長存向上提升意志，生命的延續才有價值。

欣倫看到小凱在筆記本寫下這段感悟，對他還真刮目相看了呢！

| 眾人的期待與禮讚 |

「中央書局即將回來，迎接一個讓人思念的時代，也期待它有嶄新的未來。小凱，報告最後，我們來整理之前受訪者對中央書局重新開業的期許好嗎？」

「可以啊，妳記不記得之前《明道文藝》陳憲仁社長在〈中央書局與《查令十字路84號》〉那篇文章中，除推崇中央書局在文化傳播上的意義，還明白指出『中央書局即便光復後脫下文化運動的聖衣，依然是臺中市民的驕傲』，並期待我們也能像馬克與柯恩書店般，給它一塊銅牌，追憶過往的那段榮光，或是為它出版一本書。」

「他在十幾年前的呼籲和期待，如今都陸續被實現了！」

「對啊，路寒袖擔任臺中文化局長時便將中央書局納入『臺中學』的出版計畫，為它出了專書。並期許中央書局日後充分發揮豐富的文化資源，運用新的行銷方式，多辦活動，讓空間熱絡，不但找回死忠的文學愛好者，且吸引一般民眾加入。期待中央書局能恢復當年給人的感覺，重新加入臺灣文學行列。」

「葉蔚南認為中央書局是個安靜、大器的讀書環境，默默承擔著文化啟蒙和思想學術流通責任，不因時空環境改變有所妥協。他衷心期盼重新營業的中央書局不僅只是時下流行的文創地點，而能繼續傳承發起人莊垂勝等臺中『文化先』前輩們

的精神。」

「王溢嘉期許中央書局能做出特色，深入、有系列地將相關歷史意義呈現出來。空間可做適當劃分、每月設定主題，請學者、藝術家來座談，配合音樂、電子書等相關展出，累積更多書局的文化資產。」

「楊渡覺得臺中有許多美好的文化資產、精采的歷史故事及迷人的文化典範未獲重視。戒嚴時期臺灣史是禁忌，中央書局的意義無法彰顯；解嚴後，世人的目光轉趨浮誇，對於意義深遠的文化內容並不關注，臺中竟從一個『文化城』變成被嘲弄的『風化城』。期待藉由中央書局的再生，讓蒙塵的臺中文化，好好被擦亮！」

「詹宏志認為中央書局存在的時代畢竟已成歷史，當年年輕人自中央書局所獲得的獨特養分，於今很難再現。半個多世紀的人事變遷，臺灣與世界、以及知識的傳遞方式面臨極大變革，中美文化談判後，許多外來書無法直接翻譯，因此中央書局的重新營業勢將面臨許多新的挑戰。除須求生存，還須具備活動能量。於此眼球分散的世局，如何與周邊的愛書人、文化人甚至各界人做出連結；如何貼近社會議題、成為社會的情緒中心；如何吸引新一代的讀書人進來……，俱是課題。書店越大負擔越重，如何創造出有價值的動能，除了歷史傳奇性之外，如何創造出與周邊新的關係，凡此皆須時間來驗證。即便對中

央書局的復出抱持既樂觀且悲觀的態度，但還是滿滿的祝福。」

「哇，因為關心所以憂心，更多人的心意會集，這條重要的歷史線索，將持續發展⋯⋯」

| 餘波 |

連續數月東奔西跑，密集將那繁複情節寫出，欣倫與小凱感覺既疲累又亢奮。

「小凱，這學期就將完了，報告交後，有關中央書局重新開業的後續內容，便來不及寫進來了。」

「唉，那也是沒辦法的啊！時間向前走，歷史往下書寫，我們也只能盡量捕捉當下能夠掌握的。」

欣倫與小凱自中央書局工地前走過，鷹架內裡傳來控控沙沙聲響。抬頭看，水泥雕花依然盤踞牆上，窗臺上仍有花草滋長，於陽光下訴說，那幾經枯榮皆要堅持的存在。

「小凱，你覺得重新開幕那天，黃伯會出現嗎？」

「或許會吧。不只有他，許多對中央書局有感情或好奇的人應該都會來！」

未來讓人期待，新的章節等著被寫出，炎陽西斜後仍然暖熱，與小凱鏡頭中藏匿的光影相應和。

期待陽光再次升起，照出燦亮新象。

後 記

祝福重生

中央書局源自一群懷抱崇高文化使命、不畏時局壓迫的文人志士，有著情義交織
的堅持與信仰。以中央書局為中心，將畫成一個大圓天地，至於那些未能道盡、
尚在進行的人情故事，且讓我們深摯期許，拭目以待。

2017 年 2 月初，趁寒假結束前到南部旅遊。傍晚，夕陽漸向海岸線靠近，習慣舉起右手將大拇指按著尾指，瞇眼仗量日將沉落的時間。人說一指寬代表一刻鐘，那麼還有……正估算時，提袋裡的手機突然響了——

喂！——

電話裡傳來王志誠（路寒袖）局長的聲音。

簡單寒暄後，王局長訴說文化局自去年推出臺中學，去年已出五本，今年將有……我眼盯著落日，就怕錯過它入海的瞬間。王局長溫雅的聲音仍然持續：「今年要出的《書店滄桑》妳可以幫忙寫嗎？」

啊！什麼？中央書局？我兩眼瞧望西天，只見橙橘光暈已和相鄰雲彩混融一起，薄弱光影隨將隱沒，老公喊了聲：「快點來照一張，不然來不及了！」

我趕緊站到孩子中間，抬起頭茫然看著前方——「喀嚓」一聲——手機裡中央書局的話題持續，我一邊聽著一邊搜尋記憶，印象裡臺中市區似有那樣一家店，大學期間或許去過，但實在不記得什麼！一本書？能寫多久？內容哪來？圖片呢？

諸多疑問浮現……卻未說「不！」結束通話時，四圍昏暗，西方積雲詭譎。

隔天，意識未醒，「中央書局」四字便搶先浮出腦海，走出房外，自陽臺外望，潮浪一波波堆高，推至最處便澎湃炸開，

亮白色浪花發出聲聲吶喊，含帶著興奮、緊張。

回臺中後趕忙在網路鍵入中央書局，訊息一條條讀過，方知原來中央書局含帶如此深重的歷史意義！翻開近代民族運動史，一個個之前未曾留意的名字映現眼前，日治時的民族運動，文學組織與報刊，讓人頓時如入十里迷霧又似進了混亂沙場，不覺頭昏眼花了起來！知道越多感覺壓力越大，而既已接下挑戰，也只有全力拚了。

不知所措便去向前輩請益，吳櫻校長誠懇提供資料、指點寫作方向；陳憲仁社長翻出之前相關著作……，2 月已至下旬，時針挪移的速度漸愈緊迫，於是先在廖玉蕙老師的 FB 留言，楊翠老師的也試試看，一日潭子、一天通霄，玉蕙老師風趣說出童年迷路經歷，楊翠老師當年竟可將中央書局的書帶回家看，啊，太有趣了，竟有這樣的故事！

更幸運的是，楊翠老師 2008 年便讓學生作過中央書局專題，近十年寒暑，好幾位關鍵人物已然仙逝，而珍貴訪談紀錄就在裡面。她大方將那厚厚一大本報告借我參考。回程路上，只見向海堤岸，一根根發電扇葉迎風轉動，內心於是盈滿能量。

時針繼續轉動，一本本攤開的厚書相疊架上，關於中央書局的成立、地點、建築、資金和日期……盡須釐清。雲氣相連，其間有太多模糊空隙，心情如坐雲間或行湖上，時時想著下一步該如何。相關名字一一在網路上撒出，經常石沉大海或回應

抱歉，遇有願意受訪者便如獲至寶。從這點到那點，且戰且走，其間有許多難忘經歷——

微雨春末，與鍾逸人前輩相約二七部隊紀念碑前，聽他聲如洪鐘述說二二八前中央書局的氛圍；遠到臺北，聽趙天儀老師侃侃訴說年少至今的記憶；頂著密布烏雲，搶於驟雨刷下前急奔草屯，分享岩上老師在中央書局的奇遇，及他珍藏六十年的詩集；或踩踏盛暑午後的臺北紅磚路，登上高樓上的PChome，聽詹宏志老師前瞻而務實的言論……

一個沉重主題，因許多難得機緣，便一路開出朵朵喜悅的花來。感謝所有受訪者、以及提供線索的師長與朋友——廖振富館長、陳彥斌執行長，蘇睿弼老師與邱秀慧營運長、丁莘一教授、大雅張家後代（張明遠醫師、張光裕先生、張光進執行長），東海大學吳福助教授……，善意串連，一個個始料未及的人物陸續出現，可惜已到截稿日期，還有許多內容來不及寫入。

另外，感謝劉克襄老師推薦由我來寫這本書，讓我有不同以往的寫作經驗；感謝林沈默編審的策勵與提醒；當然也要謝謝夫婿有隆背著相機，跟著我東奔西跑。是的，書中虛擬的欣倫與小凱，便是我倆的化身。如果青春能夠再回，但願能更早

歷經費時的整建，中央書局的圍籬已陸續拆除。期待它重回中區，繼續為文化城提供知識養分。（柯丁祺／攝）

了解中央書局、了解臺灣人及臺中，在那受挫壓抑的年代，如何堅忍與剛強；文化與書籍的保存曾經如何被重視，甚至有那樣多人以生命來維護。

然後，你可能會問：「黃伯是誰？」

噓，他就在你我身邊，是個具有靈性並具使命感的文化人。

最後，願以此書祝福即將重新開業的中央書局！

附　錄

中央書局大事紀

年代	大事紀
民國 10 年 （1921 年） 大正 10 年	蔣渭水成立臺灣文化協會。
民國 14 年 （1925 年） 大正 14 年	臺灣文化協會於臺中召開全島大會，決議籌辦文化服務機構。 臺灣文化協會號召中部地區的文協成員，成立「株式會社中央俱樂部」。 12 月開始募股，成為中央書局的開業基金。
民國 15 年 （1926 年） 大正 15 年	6 月 30 日，中央俱樂部始正式成立，是日開總會於臺中市橘町醉月樓，以林幼春為議長，再由議長指定幹部，張濬哲為社長，莊垂勝為專務。
民國 16 年 （1927 年） 昭和 2 年	1 月 3 日中央書局成立，銷售「漢文書籍雜誌、文具學藝用品、洋畫材料額緣、運動器具服裝、留聲機西洋樂器」，為臺灣規模最大的中文書局，並且有少量的圖書出版。
民國 20 年 （1931 年） 昭和 6 年	中央書局營運困難，多次增資。
民國 21 年 （1932 年） 昭和 7 年	林獻堂《灌園先生日記》11 月 28 日內記：「資彬來，問中央書局俱樂部解散，贊成與否。數年來莊垂勝無心辦理，而俱樂部所要作之事業僅中央書局而已，書局又年年缺損，非解散不可。」可見中央書局經營不善。
民國 34 年 （1945 年） 昭和 20 年	臺灣主權歸還中華民國，中央書局是少數日治時代開業，而留存到光復之後的書局之一。

民國 36 年 （1947 年） 昭和 22 年	莊垂勝請洪炎秋將十幾篇雜文作彙整與編輯，由中央書局出版《閒人閒話》，後被政府要求停售，未賣出的書盡數銷毀。
民國 37 年 （1948 年） 昭和 23 年	林獻堂《灌園先生日記》8 月 18 日內記：「張星建來，商中央書局增資四千萬元，尚不足二百萬元，余許之再出百萬元。」中央書局再度增資。 林獻堂《灌園先生日記》3 月 11 日內記：「十時往銀行，煥珪、垂勝、清泉、雲龍來，商中央書局欲借一千萬元，許之五百萬元，餘五百萬元用個人名義出借。」
民國 38 年 （1949 年）	林獻堂《灌園先生日記》3 月 3 日內記：「清泉來，商中央書局欲借五千萬元。余許之二千萬元。」
民國 39 年 （1950 年）	獲得資金後，重新開始圖書出版業務，出版《英語單字簡易研究法》、《總統言行錄》等，後來更設立出版委員會。
民國 40 年 （1951 年）	中央書局印刷教科書，漸漸走出虧損。
民國 42 年 （1953 年）	11 月 11 日，東海大學奠基動土典禮，當時的美國副總統尼克森特別前來參加，並到中央書局參觀，與文教人士座談。
民國 45 年 （1956 年）	徐復觀《學術與政治之間‧甲集》出版，隔年再版；同年增補其它相關文章，印行《學術與政治之間‧乙集》。
民國 52 年 （1963 年）	蕭孟能欲翻印《閒人閒話》，後決定抽除原書具爭議者，另增幾篇具史料價值之文，依時間先後編成《廢人廢話》。
民國 53 年 （1964 年）	洪炎秋《廢人廢話》出版。

民國 54 年 （1965 年）	葉榮鐘《半路出家集》出版。
民國 55 年 （1966 年）	洪炎秋《又來廢話》出版。
民國 56 年 （1967 年）	葉榮鐘《小屋大車集》出版。
民國 59 年 （1970 年）	注重書籍質量，通俗文學極少。好書雖能找到，卻難再有競爭力，被附近的聯邦、新大方等書局超越。
民國 72 年 （1983 年）	第一家金石堂書店在臺北市汀州街設立，開啟了臺灣「連鎖書店」新頁，連鎖實體書店縱橫，給予傳統書店莫大衝擊。
民國 84 年 （1995 年）	博客來網路書店創立，書的銷售打破倉儲和地域限制。
民國 86 年 （1997 年）	黃國書擔任市議員，見中央書局沒落，主動拜訪張耀錡，詢問中央書局之未來，但無法阻止董事會對於中央書局關門歇業的決議。

書店滄桑 │ 中央書局的興衰與風華

民國 87 年 （1998 年）	中央書局正式歇業，舊址先後成為婚紗店、便利商店等，後為安全帽專賣店。
民國 103 年 （2014 年）	上善人文基金會聽聞蘇睿弼教授分享中央書局之事，基於人文價值的珍視，決定促成中央書局重新開業。
民國 104 年 （2015 年）	上善人文基金會承租下中央書局建築，積極籌劃建物修復及營運。
民國 105 年 （2016 年）	上善人文基金會買下中央書局。劉克襄擔任董事長。
民國 106 年 （2017 年）	3 月 13 日，中央書局整修動工。 7 月後，黃榮村擔任董事長。

參考書目

半路出家集

葉榮鐘著

癈人癈話

洪炎秋著

風土與生活

施翠峰著

| 書籍 |

1. 張耀錡，《礫石文集》。

2. 徐復觀，《徐復觀雜文：憶往事》，臺北：時報文化，1980。

3. 吳三連、蔡培火等，《臺灣民族運動史》，臺北：自立晚報社文化出版部，1990。

4. 林莊生，《懷樹又懷人》，臺北：自立晚報社文化出版部，1992。

5. 葉榮鐘，《臺灣人物群像》，臺北：時報文化，1995。

6. 張深切，《里程碑》（又名：《黑色的太陽》），臺北：文經出版社，1998。

7. 巫永福，《我的風霜歲月：巫永福回憶錄》，臺北：望春風文化，2003。

8. 呂赫若著，鍾瑞芳譯，《呂赫若日記》，臺南：國家臺灣文學館，2004。

9. 潘朝陽，《臺灣儒學的傳統與現代》，臺北：國立臺灣大學出版中心，2008。

10. 楊翠指導，白筱薇、李京錞、張鈺鵑、羅文翌，《消失的文化城堡：中央書局 70 載》，臺中：靜宜大學臺文系 96 學年度鄉土誌書寫與實務成果報告，2008。

11. 鍾逸人，《狂風暴雨：小舟》，臺北：前衛出版社，2009。

12. 楊翠，《永不放棄：楊逵的抵抗、勞動與寫作》，臺北：蔚藍文化，2016。

| 碩博士論文 |

陳慧玲，〈臺灣白話文運動下的漢文書局（1921-1937）〉，
彰化：國立彰化師範大學歷史學研究所，2015。

| 期刊 |

1. 許建崑，〈孫克寬先生行誼考述〉，《東海中文學報》，第
   18 期（2006），頁 79 ～ 112。
2. 林振莖，〈美術舞臺上的燈光師：論日治時期張星建在臺灣
   美術中扮演的角色與貢獻〉，《臺灣美術》，第 86 期（2011），
   頁 88 ～ 112。
3. 王文仁，〈張星建及其文藝之道：以《南音》、《臺灣文藝》
   為考察中心〉，《東吳中文學報》，第 23 期（2012），頁
   327 ～ 352。

| 網路 |

1. 丘秀芷，願為同胞倒海傾——臺灣第一世家霧峰林家，華僑協會總會（搜尋日期：2017/5/30）

2. 沈政男，中央書局：http://blog.udn.com/thegloberover/20343679（搜尋日期：2017/6/10）

3. 楊渡，另一種凝視——找回文化城那沉靜的氣度：http://www.chinatimes.com/newspapers/20150121000888-260109（搜尋日期：2017/7/10）

4. 劉克襄，中央書局要回來了：http://opinion.cw.com.tw/blog/profile/46/article/2301（搜尋日期：2017/7/10）

5. 林良哲，《文化城象徵》中央書局舊址賣安全帽：http://news.ltn.com.tw/news/local/paper/612058

6. 陳彥斌，重新點亮　中央書局：http://www.culture.taichung.gov.tw/upload/270/20150422_111758.73322.pdf（搜尋日期：2017/7/20）

7. 臺灣文學期刊目錄資料庫：http://dhtlj.nmtl.gov.tw/opencms/journal/Journal007/index.html

8. 臺灣史研究所臺灣日記知識庫：http://taco.ith.sinica.edu.tw/tdk/

| 報紙 |

陳憲仁（2002 年 4 月 26 日）。中央書局與《查令十字路 84 號》。《臺灣日報》「非臺北觀點」專欄。

臺中學 8

書店滄桑

中央書局的興衰與風華

作　　　者　方秋停

照片提供　丁幸一・林良哲・張光進・郭双富・
　　　　　　廖振富・羅有隆等人

發　行　人　林佳龍
主　　　編　王志誠（路寒袖）
編輯委員　施純福・黃名亨・楊懿珊・林敏棋・陳素秋・林承謨
執行編輯　陳兆華・范秀情・趙崧然・林耕震

出版單位　臺中市政府文化局
地　　　址　臺中市西屯區臺灣大道三段 99 號惠中樓 8 樓
網　　　址　http://www.culture.taichung.gov.tw
電　　　話　04-2228-9111
展　售　處　五南書局／ 04-2226-0330
　　　　　　臺中市中區中山路 6 號
　　　　　　國家書店松江門市／ 02-2518-0207
　　　　　　臺北市中山區松江路 209 號 1 樓

編輯製作　遠景出版事業有限公司
負　責　人　葉麗晴
主　　　編　李偉涵
執行編輯　李偉涵、林敬庭
封面插畫　鄭硯允
美術設計　李偉涵
內文排版　李佩瑜

地　　　址　新北市板橋區松柏街 65 號 5 樓
電　　　話　02-2254-2899
傳　　　真　02-2254-2136
劃撥戶名　晴光文化出版有限公司
劃撥帳號　19929057
總　經　銷　紅螞蟻圖書有限公司
初　　　版　中華民國 106 年 11 月
定　　　價　新臺幣 300 元
G P N　1010601666
I S B N　978-986-05-3757-4

國家圖書館出版品預行編目資料

書店滄桑：中央書局的興衰與風華 ／ 方秋停 著. 一 初
版. 一 臺中市 ： 臺中市政府文化局出版 ： 晴光文化發
行, 2017.11 面 ； 公分. 一（臺中學 ；8）

ISBN 978-986-05-3757-4（平裝）

733.9/115　　　　　　106018274